RAPHAEL'S AS

Ephemeris of th

for

A Complete Aspectarian

Mean Obliquity of the Ecliptic, 2004, 23° 26′ 19″

INTRODUCTION

Greenwich Mean Time (G.M.T.) has been used as the basis for all tabulations and times (G.M.T. is essentially the same as U.T.). The tabular data are for Greenwich Mean Time 12h., except for the Moon tabulations headed 24h. All phenomena and aspect times are now in G.M.T. To obtain Local Mean Time of aspect, add the time equivalent of the longitude if East and subtract if West.

Both in the Aspectarian and the Phenomena the 24-hour clock replaces the old a.m./p.m. system.

The zodiacal sign entries are now incorporated in the Aspectarian as well as being given in a separate table.

BRITISH SUMMER TIME

British Summer Time begins on March 28 and ends on October 31. When *British Summer Time* (one hour in advance of G.M.T.) is used, subtract one hour from B.S.T. before entering this Ephemeris.

These dates are believed to be correct at the time of printing.

Printed in Great Britain

ISBN 0-572-02843-1

Published by

LONDON: W. FOULSHAM & CO. LTD.

BENNETTS CLOSE, SLOUGH, BERKS. ENGLAND

NEW YORK TORONTO CAPE TOWN SYDNEY

NEW MOON–Jan.21,21h.05m. (1°♒10′)

D M	D W	Sidereal Time h m s	☉ Long. ° ′ ″	☉ Dec. ° ′	☽ Long. ° ′ ″	☽ Lat. ° ′	☽ Dec. ° ′	☽ Node ° ′	24h. ☽ Long. ° ′ ″	24h. ☽ Dec. ° ′
1	Th	18 41 58	10 ♑ 24 04	23 S 02	3 ♉ 27 43	1 S 25	11 N21	17 ♉ 41	9 ♉ 23 29	13 N47
2	F	18 45 54	11 25 13	22 57	15 17 47	0 S 22	16 05	17 38	21 11 11	18 13
3	S	18 49 51	12 26 22	22 52	27 04 15	0 N42	20 11	17 34	2 ♊ 57 31	21 56
4	Su	18 53 48	13 27 30	22 46	8 ♊ 51 25	1 43	23 29	17 31	14 46 23	24 46
5	M	18 57 44	14 28 39	22 39	20 42 47	2 40	25 47	17 28	26 40 56	26 30
6	T	19 01 41	15 29 47	22 32	2 ♋ 41 06	3 31	26 56	17 25	8 ♋ 43 28	27 02
7	W	19 05 37	16 30 55	22 25	14 48 14	4 12	26 48	17 22	20 55 31	26 14
8	Th	19 09 34	17 32 03	22 17	27 05 25	4 43	25 22	17 19	3 ♌ 17 58	24 10
9	F	19 13 30	18 33 11	22 09	9 ♌ 33 15	5 00	22 40	17 15	15 51 16	20 54
10	S	19 17 27	19 34 18	22 01	22 12 05	5 03	18 53	17 12	28 35 43	16 38
11	Su	19 21 23	20 35 26	21 52	5 ♍ 02 14	4 51	14 10	17 09	11 ♍ 31 43	11 32
12	M	19 25 20	21 36 33	21 42	18 04 15	4 23	8 45	17 06	24 39 57	5 N51
13	T	19 29 17	22 37 41	21 32	1 ♎ 19 00	3 42	2 N52	17 03	8 ♎ 01 31	0 S 11
14	W	19 33 13	23 38 48	21 22	14 47 43	2 47	3 S 16	16 59	21 37 44	6 20
15	Th	19 37 10	24 39 55	21 12	28 31 45	1 41	9 22	16 56	5 ♏ 29 52	12 19
16	F	19 41 06	25 41 02	21 00	12 ♏ 32 07	0 N29	15 09	16 53	19 38 31	17 47
17	S	19 45 03	26 42 09	20 49	26 48 54	0 S 47	20 12	16 50	4 ♐ 03 03	22 21
18	Su	19 48 59	27 43 16	20 37	11 ♐ 20 33	2 01	24 08	16 47	18 40 53	25 32
19	M	19 52 56	28 44 22	20 25	26 03 22	3 08	26 30	16 44	3 ♑ 27 11	27 00
20	T	19 56 52	29 ♑ 45 28	20 12	10 ♑ 51 24	4 02	27 01	16 40	18 15 01	26 32
21	W	20 00 49	0 ♒ 46 34	19 59	25 36 59	4 40	25 36	16 37	2 ♒ 56 13	24 14
22	Th	20 04 46	1 47 39	19 46	10 ♒ 11 45	4 59	22 29	16 34	17 22 39	20 24
23	F	20 08 42	2 48 43	19 32	24 28 11	4 59	18 03	16 31	1 ♓ 27 42	15 30
24	S	20 12 39	3 49 47	19 18	8 ♓ 20 47	4 41	12 47	16 28	15 07 10	9 57
25	Su	20 16 35	4 50 49	19 03	21 46 48	4 08	7 03	16 24	28 19 45	4 S 08
26	M	20 20 32	5 51 50	18 48	4 ♈ 46 15	3 22	1 S 12	16 21	11 ♈ 06 42	1 N41
27	T	20 24 28	6 52 50	18 33	17 21 34	2 28	4 N32	16 18	23 31 23	7 17
28	W	20 28 25	7 53 49	18 18	29 36 47	1 29	9 57	16 15	5 ♉ 38 27	12 30
29	Th	20 32 21	8 54 47	18 02	11 ♉ 37 04	0 S 27	14 54	16 12	17 33 20	17 09
30	F	20 36 18	9 55 44	17 46	23 27 58	0 N36	19 13	16 09	29 21 40	21 06
31	S	20 40 15	10 ♒ 56 40	17 S 29	5 ♊ 15 07	1 N37	22 N46	16 ♉ 05	11 ♊ 08 56	24 N12

D M	Mercury Lat. ° ′	Mercury Dec. ° ′	Mercury Dec. ° ′	Venus Lat. ° ′	Venus Dec. ° ′	Venus Dec. ° ′	Mars Lat. ° ′	Mars Dec. ° ′	Mars Dec. ° ′	Jupiter Lat. ° ′	Jupiter Dec. ° ′
1	3 N10	20 S 16	20 S 14	1 S 49	18 S 25	18 S 03	0 N 04	3 N49	4 N 05	1 N 13	5 N31
3	3 11	20 13	20 15	1 48	17 41	17 18	0 07	4 20	4 36	1 13	5 31
5	3 05	20 19	20 23	1 47	16 54	16 30	0 10	4 51	5 07	1 14	5 31
7	2 54	20 30	20 37	1 45	16 06	15 41	0 12	5 23	5 38	1 14	5 32
9	2 39	20 45	20 54	1 43	15 16	14 51	0 15	5 54	6 09	1 15	5 33
11	2 22	21 03	21 13	1 41	14 25	13 58	0 17	6 24	6 40	1 15	5 35
13	2 04	21 23	21 32	1 38	13 32	13 05	0 20	6 55	7 10	1 16	5 37
15	1 45	21 41	21 51	1 35	12 37	12 10	0 22	7 26	7 41	1 17	5 39
17	1 26	21 59	22 07	1 32	11 42	11 13	0 24	7 56	8 11	1 17	5 41
19	1 06	22 14	22 21	1 28	10 45	10 16	0 26	8 27	8 42	1 18	5 44
21	0 48	22 27	22 32	1 24	9 47	9 18	0 28	8 57	9 12	1 18	5 47
23	0 29	22 36	22 39	1 20	8 48	8 18	0 30	9 27	9 41	1 19	5 50
25	0 N12	22 41	22 42	1 15	7 48	7 18	0 32	9 56	10 11	1 19	5 54
27	0 S 05	22 42	22 41	1 10	6 48	6 18	0 34	10 26	10 40	1 20	5 57
29	0 21	22 38	22 S 35	1 04	5 47	5 S 16	0 36	10 55	11 N 09	1 20	6 01
31	0 S 36	22 S 30		0 S 59	4 S 45		0 N 37	11 N24		1 N 21	6 N06

FIRST QUARTER–Jan.29,06h.03m. (8°♉40′)

FULL MOON–Jan. 7,15h.40m. (16°♋40′)

EPHEMERIS]				JANUARY 2004														3
D	☿	♀	♂	♃	♄	♅	♆	♇	Lunar Aspects									
M	Long.	Long.	Long.	Long.	Long.	Long.	Long.	Long.	☉	☿	♀	♂	♃	♄	♅	♆	♇
	° ′	° ′	° ′	° ′	° ′	° ′	° ′	° ′									
1	28♐22	13♒50	9♈28	18♍54	9♋43	0♓05	11♒42	20♐31		△			⚼		⚹		⚼
2	27R 37	15 04	10 05	18 54	9R 38	0 08	11 44	20 33	△	⚼	◻	⚺	△	⚹		◻	
3	27 01	16 17	10 41	18 54	9 33	0 10	11 46	20 35	⚼			∠		∠	◻		
4	26 36	17 31	11 18	18R 54	9 28	0 13	11 48	20 37				⚹		⚺		△	
5	26 21	18 44	11 55	18 54	9 23	0 16	11 50	20 39		☍	△		◻				☍
6	26 16	19 58	12 31	18 54	9 18	0 18	11 52	20 42			⚼				△	⚼	
7	26D 20	21 11	13 08	18 53	9 13	0 21	11 55	20 44	☍			◻	⚹	☌	⚼		
8	26 32	22 25	13 45	18 52	9 08	0 24	11 57	20 46									
9	26 52	23 38	14 22	18 51	9 03	0 26	11 59	20 48		⚼		△	∠	⚺		☍	⚼
10	27 18	24 51	14 59	18 50	8 58	0 29	12 01	20 50		△	☍		⚺	∠			△
11	27 51	26 05	15 36	18 49	8 54	0 32	12 03	20 52	⚼			⚼		⚹	☍		
12	28 30	27 18	16 13	18 47	8 49	0 35	12 05	20 54	△				☌				◻
13	29♐14	28 31	16 51	18 46	8 44	0 38	12 07	20 56		◻						⚼	
14	0♑02	29♒44	17 28	18 44	8 39	0 41	12 10	20 58			⚼	☍	⚺	◻	⚼	△	⚹
15	0 54	0♓57	18 05	18 41	8 35	0 44	12 12	21 00	◻	⚹	△		∠		△		
16	1 50	2 10	18 43	18 39	8 30	0 46	12 14	21 02		∠			⚹	△		◻	∠
17	2 50	3 23	19 20	18 37	8 26	0 49	12 16	21 04	⚹	⚺	◻			⚼	◻		⚺
18	3 52	4 36	19 57	18 34	8 21	0 52	12 18	21 06	∠			⚼	◻			⚹	
19	4 57	5 49	20 35	18 31	8 17	0 56	12 21	21 08	⚺			△			⚹	∠	☌
20	6 05	7 01	21 13	18 28	8 12	0 59	12 23	21 10		☌	⚹			☍	∠	⚺	
21	7 14	8 14	21 50	18 25	8 08	1 02	12 25	21 11	☌		∠	◻	△		⚺		⚺
22	8 26	9 27	22 28	18 21	8 03	1 05	12 27	21 13		⚺	⚺		⚼			☌	∠
23	9 39	10 39	23 06	18 18	7 59	1 08	12 30	21 15		∠		⚹		⚼	☌		⚹
24	10 54	11 51	23 43	18 14	7 55	1 11	12 32	21 17	⚺	⚹	☌	∠		△		⚺	
25	12 11	13 04	24 21	18 10	7 51	1 14	12 34	21 19	∠			⚺	☍			∠	◻
26	13 29	14 16	24 59	18 06	7 47	1 17	12 36	21 21	⚹					◻	⚺		
27	14 48	15 28	25 37	18 02	7 43	1 21	12 39	21 22		◻	⚺				∠	⚹	△
28	16 09	16 40	26 15	17 57	7 39	1 24	12 41	21 24			∠	☌	⚼		⚹		
29	17 30	17 52	26 53	17 52	7 35	1 27	12 43	21 26	◻					⚹		◻	⚼
30	18 53	19 04	27 31	17 48	7 31	1 30	12 45	21 27		△	⚹	⚺	△	∠			
31	20♑17	20♓16	28♈09	17♍43	7♋27	1♓34	12♒48	21♐29		⚼				⚺	◻		

D	Saturn		Uranus		Neptune		Pluto	
M	Lat.	Dec.	Lat.	Dec.	Lat.	Dec.	Lat.	Dec.
	° ′	° ′	° ′	° ′	° ′	° ′	° ′	° ′
1	0S40	22N25	0S44	12S08	0S02	17S18	8N38	14S30
3	0 40	22 26	0 44	12 06	0 02	17 17	8 38	14 30
5	0 40	22 27	0 44	12 04	0 02	17 16	8 38	14 30
7	0 40	22 28	0 44	12 02	0 02	17 15	8 38	14 30
9	0 39	22 29	0 44	12 00	0 02	17 14	8 38	14 31
11	0 39	22 30	0 44	11 58	0 02	17 12	8 38	14 31
13	0 39	22 30	0 44	11 56	0 02	17 11	8 38	14 31
15	0 39	22 31	0 44	11 54	0 02	17 10	8 38	14 31
17	0 38	22 32	0 44	11 52	0 02	17 09	8 38	14 31
19	0 38	22 33	0 44	11 50	0 02	17 08	8 38	14 31
21	0 38	22 34	0 44	11 47	0 02	17 06	8 39	14 31
23	0 37	22 35	0 44	11 45	0 02	17 05	8 39	14 31
25	0 37	22 35	0 44	11 43	0 02	17 04	8 39	14 31
27	0 37	22 36	0 43	11 40	0 02	17 03	8 39	14 31
29	0 37	22 37	0 43	11 38	0 02	17 01	8 39	14 31
31	0S36	22N38	0S43	11S36	0S02	17S00	8N40	14S31

Mutual Aspects

1 ☿∠♀. ♂◻♄.
2 ☉⚺♆. ♀±♄.
3 ♃Stat.
4 ☿∠♆. ♀∥♆.
5 ☿⚻♃. ♂⚹♆.
6 ☉∠♅. ☿Stat.
7 ♀⚹♇. ☉#♄.
8 ♂∥♃.
9 ☉△♃. ☿∠♆. ♀⚼♄.
11 ☉⚺♇. ♂∠♅. ♀∥♇.
14 ☉⊥♀. ☉∥☿.
15 ☉⊥♅. ☿⚹♀. ☿⚹♅. ♀☌♅.
16 ♂⚻♃.
17 ☉⊥♇. ♀Q♇. ♀∥♅.
19 ♀∠♂.
20 ☿⊥♆. ♂△♇.
21 ☉⚺♅. ♀△♄. ♃±♆.
22 ☿☍♄. ♀#♂.
23 ☉⚼♃. ☿#♄.
25 ☿⚺♆. ♀⚺♆. ♂±♃. ♂Q♆.
26 ☉∠♇. 27 ♂Q♄.
28 ☉⚻♄. ☿∠♅.
29 ☿△♃. ♀☍♃. ☿#♄. ♀#♃.
30 ♀⊥♆. 31 ☿⚹♀.

LAST QUARTER–Jan.15,04h.46m. (24°♎21′)

NEW MOON–Feb.20,09h.18m. (1°♓04′)

D M	D W	Sidereal Time	☉ Long.	☉ Dec.	☽ Long.	☽ Lat.	☽ Dec.	☽ Node	24h. ☽ Long.	24h. ☽ Dec.
		h m s	° ′ ″	° ′	° ′ ″	° ′	° ′	° ′	° ′ ″	° ′
1	Su	20 44 11	11 ≈≈ 57 34	17 S 12	17 ♊ 03 44	2 N34	25 N22	16 ♉ 02	23 ♊ 00 04	26 N15
2	M	20 48 08	12 58 27	16 55	28 58 28	3 24	26 50	15 59	4 ♋ 59 20	27 07
3	T	20 52 04	13 59 19	16 38	11 ♋ 03 03	4 06	27 04	15 56	17 09 56	26 41
4	W	20 56 01	15 00 10	16 20	23 20 12	4 37	25 58	15 53	29 34 01	24 56
5	Th	20 59 57	16 00 59	16 02	5 ♌ 51 27	4 55	23 34	15 50	12 ♌ 12 31	21 55
6	F	21 03 54	17 01 47	15 44	18 37 09	4 59	19 59	15 46	25 05 16	17 48
7	S	21 07 50	18 02 34	15 25	1 ♍ 36 43	4 48	15 23	15 43	8 ♍ 11 18	12 46
8	Su	21 11 47	19 03 20	15 07	14 48 49	4 21	10 00	15 40	21 29 05	7 05
9	M	21 15 44	20 04 04	14 48	28 11 55	3 40	4 N05	15 37	4 ♎ 57 07	1 N00
10	T	21 19 40	21 04 48	14 28	11 ♎ 44 34	2 46	2 S 06	15 34	18 34 10	5 S 12
11	W	21 23 37	22 05 30	14 09	25 25 50	1 41	8 16	15 30	2 ♏ 19 33	11 15
12	Th	21 27 33	23 06 12	13 49	9 ♏ 15 17	0 N30	14 06	15 27	16 13 04	16 48
13	F	21 31 30	24 06 52	13 29	23 12 52	0 S 44	19 17	15 24	0 ♐ 14 42	21 31
14	S	21 35 26	25 07 31	13 09	7 ♐ 18 29	1 56	23 26	15 21	14 24 08	25 00
15	Su	21 39 23	26 08 10	12 48	21 31 27	3 01	26 11	15 18	28 40 11	26 55
16	M	21 43 19	27 08 47	12 28	5 ♑ 49 59	3 55	27 13	15 15	13 ♑ 00 24	27 04
17	T	21 47 16	28 09 23	12 07	20 10 53	4 34	26 27	15 11	27 20 48	25 24
18	W	21 51 13	29 ≈≈ 09 58	11 46	4 ≈≈ 29 30	4 57	23 56	15 08	11 ≈≈ 36 15	22 07
19	Th	21 55 09	0 ♓ 10 31	11 25	18 40 20	5 00	19 59	15 05	25 41 04	17 35
20	F	21 59 06	1 11 02	11 03	2 ♓ 37 48	4 46	14 59	15 02	9 ♓ 30 00	12 12
21	S	22 03 02	2 11 32	10 42	16 17 11	4 15	9 20	14 59	22 59 04	6 22
22	Su	22 06 59	3 12 01	10 20	29 35 26	3 31	3 S 23	14 56	6 ♈ 06 14	0 S 24
23	M	22 10 55	4 12 27	9 58	12 ♈ 31 32	2 37	2 N32	14 52	18 51 30	5 N25
24	T	22 14 52	5 12 52	9 36	25 06 27	1 37	8 13	14 49	1 ♉ 16 46	10 54
25	W	22 18 48	6 13 15	9 14	7 ♉ 22 56	0 S 33	13 28	14 46	13 25 30	15 52
26	Th	22 22 45	7 13 36	8 51	19 25 04	0 N31	18 05	14 43	25 22 16	20 07
27	F	22 26 42	8 13 55	8 29	1 ♊ 17 46	1 33	21 57	14 40	7 ♊ 12 15	23 32
28	S	22 30 38	9 14 12	8 06	13 06 25	2 31	24 52	14 36	19 00 56	25 56
29	Su	22 34 35	10 ♓ 14 27	7 S 44	24 ♊ 56 30	3 N22	26 N43	14 ♉ 33	0 ♋ 53 43	27 N11

D M	Mercury Lat.	Mercury Dec.		Venus Lat.	Venus Dec.		Mars Lat.	Mars Dec.		Jupiter Lat.	Jupiter Dec.
	° ′	° ′	° ′	° ′	° ′	° ′	° ′	° ′	° ′	° ′	° ′
1	0 S 43	22 S 24	22 S 17	0 S 56	4 S 14	3 S 43	0 N 38	11 N38	11 N 52	1 N 21	6 N08
3	0 57	22 09	21 59	0 49	3 12	2 41	0 40	12 07	12 21	1 21	6 12
5	1 10	21 48	21 36	0 43	2 09	1 38	0 41	12 35	12 49	1 22	6 17
7	1 21	21 22	21 07	0 36	1 07	0 S 35	0 43	13 03	13 17	1 22	6 22
9	1 31	20 51	20 33	0 29	0 S 04	0 N28	0 44	13 30	13 44	1 23	6 27
11	1 41	20 15	19 54	0 22	0 N59	1 31	0 46	13 57	14 11	1 23	6 33
13	1 49	19 33	19 10	0 14	2 02	2 34	0 47	14 24	14 37	1 23	6 38
15	1 55	18 46	18 20	0 S 06	3 05	3 36	0 49	14 51	15 04	1 24	6 44
17	2 01	17 53	17 25	0 N 02	4 07	4 38	0 50	15 17	15 29	1 24	6 50
19	2 04	16 55	16 24	0 10	5 09	5 40	0 51	15 42	15 55	1 24	6 56
21	2 07	15 51	15 18	0 19	6 11	6 42	0 52	16 07	16 20	1 24	7 02
23	2 07	14 42	14 06	0 27	7 12	7 43	0 53	16 32	16 44	1 25	7 08
25	2 06	13 28	12 49	0 36	8 13	8 43	0 54	16 56	17 08	1 25	7 14
27	2 03	12 08	11 26	0 45	9 13	9 42	0 56	17 20	17 32	1 25	7 2[illegible]
29	1 58	10 43	9 S 58	0 54	10 12	10 N41	0 57	17 43	17 N 55	1 25	7 2[illegible]
31	1 S 51	9 S 13		1 N 04	11 N10		0 N 58	18 N06		1 N 26	7 N3[illegible]

FIRST QUARTER–Feb.28,03h.24m. (8°♊53′)

FULL MOON–Feb. 6,08h.47m. (16°♌54′)

D	☿ Long.	♀ Long.	♂ Long.	♃ Long.	♄ Long.	♅ Long.	♆ Long.	♇ Long.	☉	☿	♀	♂	♃	♄	♅	♆	♇
	° ′	° ′	° ′	° ′	° ′	° ′	° ′	° ′									
1	21♑41	21♓28	28♈47	17♍38	7♋24	1♓37	12♒50	21♐ 31	△		□	∠	□			△	☍
2	23 07	22 40	29♈25	17R 32	7R 20	1 40	12 52	21 32	⚼			⚹			△	⚼	
3	24 34	23 51	0♉03	17 27	7 17	1 44	12 55	21 34						☌	⚼		
4	26 01	25 03	0 41	17 21	7 13	1 47	12 57	21 35		☍	△		⚹				
5	27 30	26 14	1 19	17 16	7 10	1 50	12 59	21 37			⚼	□	∠	⚺			⚼
6	28♑59	27 25	1 57	17 10	7 07	1 54	13 01	21 38	☍				⚺	∠		☍	△
7	0♒29	28 36	2 36	17 04	7 04	1 57	13 04	21 40				△		⚹	☍		
8	2 00	29♓47	3 14	16 58	7 01	2 00	13 06	21 41		⚼		⚼	☌				
9	3 31	0♈58	3 52	16 52	6 58	2 04	13 08	21 43		△	☍					⚼	□
10	5 04	2 09	4 30	16 45	6 55	2 07	13 11	21 44	⚼				⚺	□	⚼	△	
11	6 37	3 19	5 09	16 39	6 52	2 11	13 13	21 45	△				∠		△		⚹
12	8 12	4 30	5 47	16 32	6 49	2 14	13 15	21 47		□		☍		△		□	∠
13	9 47	5 40	6 25	16 25	6 47	2 17	13 17	21 48	□		⚼		⚹	⚼			⚺
14	11 22	6 51	7 03	16 19	6 44	2 21	13 20	21 49		⚹	△				□	⚹	
15	12 59	8 01	7 42	16 12	6 42	2 24	13 22	21 51	⚹			⚼	□			∠	☌
16	14 37	9 11	8 20	16 05	6 40	2 28	13 24	21 52	∠	∠	□	△		☍	⚹		
17	16 15	10 21	8 58	15 58	6 38	2 31	13 26	21 53		⚺			△		∠	⚺	⚺
18	17 55	11 30	9 37	15 50	6 36	2 35	13 28	21 54	⚺			□	⚼		⚺		∠
19	19 35	12 40	10 15	15 43	6 34	2 38	13 31	21 55		☌	⚹			⚼		☌	⚹
20	21 16	13 49	10 53	15 36	6 32	2 42	13 33	21 56	☌		∠			△	☌		
21	22 58	14 58	11 32	15 28	6 30	2 45	13 35	21 58			⚺	⚹	☍			⚺	□
22	24 41	16 08	12 10	15 21	6 28	2 49	13 37	21 59	⚺	⚺		∠			⚺	∠	
23	26 25	17 17	12 49	15 13	6 27	2 52	13 39	22 00		∠	☌	⚺		□	∠	⚹	
24	28 10	18 25	13 27	15 06	6 25	2 55	13 42	22 01	∠	⚹			⚼				△
25	29♒56	19 34	14 06	14 58	6 24	2 59	13 44	22 02	⚹					⚹	⚹		⚼
26	1♓43	20 42	14 44	14 50	6 23	3 02	13 46	22 02			⚺	●	△	∠		□	
27	3 30	21 51	15 22	14 42	6 22	3 06	13 48	22 03		□				⚺	□		
28	5 19	22 59	16 01	14 35	6 21	3 09	13 50	22 04	□		∠	⚺	□			△	
29	7♓09	24♈07	16♉39	14♍27	6♋20	3♓13	13♒52	22♐ 05			⚹					⚼	☍

(Columns ☉ through ♇ on the right: Lunar Aspects.)

D M	Saturn Lat.	Saturn Dec.	Uranus Lat.	Uranus Dec.	Neptune Lat.	Neptune Dec.	Pluto Lat.	Pluto Dec.
	° ′	° ′	° ′	° ′	° ′	° ′	° ′	° ′
1	0S36	22N38	0S43	11S35	0S02	16S59	8N40	14S31
3	0 36	22 39	0 43	11 32	0 02	16 58	8 40	14 31
5	0 36	22 39	0 43	11 30	0 02	16 57	8 40	14 31
7	0 35	22 40	0 43	11 27	0 02	16 56	8 40	14 31
9	0 35	22 40	0 43	11 25	0 02	16 54	8 41	14 31
11	0 35	22 41	0 43	11 22	0 02	16 53	8 41	14 31
13	0 34	22 42	0 43	11 20	0 02	16 52	8 41	14 31
15	0 34	22 42	0 43	11 18	0 02	16 51	8 42	14 31
17	0 34	22 43	0 43	11 15	0 02	16 49	8 42	14 30
19	0 33	22 43	0 43	11 13	0 02	16 48	8 42	14 30
21	0 33	22 44	0 43	11 10	0 02	16 47	8 43	14 30
23	0 33	22 44	0 43	11 08	0 02	16 46	8 43	14 30
25	0 33	22 45	0 43	11 05	0 02	16 44	8 43	14 29
27	0 32	22 45	0 43	11 03	0 02	16 43	8 44	14 29
29	0 32	22 45	0 43	11 00	0 02	16 42	8 44	14 29
31	0S32	22N46	0S43	10S58	0S02	16S41	8N45	14S29

Mutual Aspects

1 ☉±♃. ☿⚺♇. ♀□♇. ♂#♅.
2 ☉±♄. ☉☌♆. ☉∥♆.
3 ♀⊥♂. 4 ☿⊥♅.
5 ☿⊥♇.
6 ☉▽♃. ♂⚼♃. ♂⚹♅.
7 ♀∠♆. ♄±♆.
8 ☿⚼♃. ☿⚺♅.
9 ☿□♂.
10 ♀⚺♅. ☉∥♇.
11 ☉⚼♄. ☉⚹♇. ☿▽♄. ☿∠♇. ☉#♂.
13 ☿±♃. ♂#♇.
14 ☉Q♂. ♀⚺♂. ♀□♄. ♂⚹♄. ♂⚼♇.
15 ☿±♄. ☿☌♆. ♀⊥♅.
17 ☿▽♃. 19 ☿∥♆.
20 ☿⚼♄. ☿⚹♇. ♀⚹♆. ☉∥♅.
21 ♀▽♃. ☿#♂.
22 ☉☌♅.
23 ☉Q♇. ☿∥♇. ♀∥♃.
24 ♀∠♅. ♂□♆. ♂#♆.
25 ☉△♄.
26 ♀±♃. ♂△♃. ☉#♀.
27 ☿Q♂. ☿☌♅. ☿Q♇. ♀△♇. ♂Q♅.
28 ♂±♇.
29 ☿△♄. ♀Q♄. ☿#♀. ☿∥♅.

LAST QUARTER–Feb.13,13h.39m. (24°♏11′)

NEW MOON–Mar.20,22h.41m. (0°♈39′)

D M	D W	Sidereal Time	☉ Long.	☉ Dec.	☽ Long.	☽ Lat.	☽ Dec.	☽ Node	24h. ☽ Long.	24h. ☽ De
		h m s	° ′ ″	° ′	° ′ ″	° ′	° ′	° ′	° ′ ″	°
1	M	22 38 31	11 ♓ 14 40	7 S 21	6 ♋ 53 15	4 N 05	27 N 20	14 ♉ 30	12 ♋ 55 37	27 N1
2	T	22 42 28	12 14 51	6 58	19 01 21	4 38	26 40	14 27	25 10 53	25 5
3	W	22 46 24	13 15 00	6 35	1 ♌ 24 35	4 58	24 41	14 24	7 ♌ 42 44	23 1
4	Th	22 50 21	14 15 07	6 12	14 05 33	5 04	21 27	14 21	20 33 06	19 2
5	F	22 54 17	15 15 12	5 49	27 05 23	4 55	17 06	14 17	3 ♍ 42 19	14 3
6	S	22 58 14	16 15 15	5 25	10 ♍ 23 42	4 30	11 50	14 14	17 09 15	8 5
7	Su	23 02 11	17 15 16	5 02	23 58 37	3 49	5 N 54	14 11	0 ♎ 51 25	2 N4
8	M	23 06 07	18 15 15	4 39	7 ♎ 47 12	2 54	0 S 25	14 08	14 45 30	3 S3
9	T	23 10 04	19 15 13	4 15	21 45 52	1 48	6 48	14 05	28 47 52	9 5
10	W	23 14 00	20 15 08	3 52	5 ♏ 51 06	0 N 35	12 55	14 02	12 ♏ 55 12	15 4
11	Th	23 17 57	21 15 02	3 28	19 59 50	0 S 41	18 24	13 58	27 04 43	20 4
12	F	23 21 53	22 14 55	3 05	4 ♐ 09 39	1 55	22 51	13 55	11 ♐ 14 25	24 3
13	S	23 25 50	23 14 46	2 41	18 18 50	3 01	25 56	13 52	25 22 45	26 5
14	Su	23 29 46	24 14 35	2 17	2 ♑ 26 01	3 57	27 22	13 49	9 ♑ 28 28	27 2
15	M	23 33 43	25 14 23	1 54	16 29 54	4 38	27 01	13 46	23 30 07	26 1
16	T	23 37 40	26 14 09	1 30	0 ♒ 28 52	5 02	24 57	13 42	7 ♒ 25 53	23 2
17	W	23 41 36	27 13 53	1 06	14 20 51	5 08	21 26	13 39	21 13 28	19 1
18	Th	23 45 33	28 13 35	0 42	28 03 23	4 56	16 47	13 36	4 ♓ 50 18	14 0
19	F	23 49 29	29 ♓ 13 15	0 S 19	11 ♓ 33 53	4 28	11 22	13 33	18 13 52	8 2
20	S	23 53 26	0 ♈ 12 54	0 N 05	24 50 00	3 46	5 S 31	13 30	1 ♈ 22 06	2 S3
21	Su	23 57 22	1 12 30	0 29	7 ♈ 50 02	2 53	0 N 27	13 27	14 13 47	3 N2
22	M	0 01 19	2 12 04	0 53	20 33 21	1 52	6 18	13 23	26 48 50	9 0
23	T	0 05 15	3 11 37	1 16	3 ♉ 00 25	0 S 47	11 47	13 20	9 ♉ 08 22	14 2
24	W	0 09 12	4 11 07	1 40	15 12 59	0 N 20	16 43	13 17	21 14 39	18 5
25	Th	0 13 09	5 10 35	2 03	27 13 50	1 24	20 54	13 14	3 ♊ 11 00	22 4
26	F	0 17 05	6 10 00	2 27	9 ♊ 06 42	2 24	24 12	13 11	15 01 30	25 2
27	S	0 21 02	7 09 24	2 50	20 56 00	3 18	26 26	13 08	26 50 50	27 0
28	Su	0 24 58	8 08 45	3 14	2 ♋ 46 36	4 04	27 28	13 04	8 ♋ 43 58	27 3
29	M	0 28 55	9 08 04	3 37	14 43 33	4 39	27 15	13 01	20 45 59	26 3
30	T	0 32 51	10 07 21	4 01	26 51 50	5 03	25 44	12 58	3 ♌ 01 39	24 3
31	W	0 36 48	11 ♈ 06 35	4 N 24	9 ♌ 15 57	5 N 13	22 N 57	12 ♉ 55	15 ♌ 35 09	21 N0

D M	Mercury Lat.	Mercury Dec.		Venus Lat.	Venus Dec.		Mars Lat.	Mars Dec.		Jupiter Lat.	Jupiter Dec.
	° ′	° ′	° ′	° ′	° ′	° ′	° ′	° ′	° ′	° ′	°
1	1 S 55	9 S 58	9 S 13	0 N 59	10 N 41	11 N 10	0 N 57	17 N 55	18 N 06	1 N 25	7 N29
3	1 47	8 26	7 37	1 08	11 38	12 07	0 58	18 17	18 28	1 26	7 35
5	1 37	6 48	5 57	1 18	12 35	13 03	0 59	18 39	18 50	1 26	7 42
7	1 24	5 06	4 13	1 27	13 30	13 58	1 00	19 01	19 11	1 26	7 48
9	1 10	3 20	2 26	1 37	14 25	14 51	1 01	19 21	19 32	1 26	7 54
11	0 53	1 S 31	0 S 35	1 46	15 18	15 44	1 02	19 42	19 52	1 26	8 00
13	0 33	0 N 20	1 N 16	1 56	16 09	16 35	1 02	20 01	20 11	1 26	8 06
15	0 S 12	2 12	3 08	2 05	17 00	17 24	1 03	20 21	20 30	1 26	8 11
17	0 N 11	4 04	4 58	2 15	17 48	18 12	1 04	20 39	20 48	1 26	8 17
19	0 35	5 52	6 45	2 24	18 36	18 59	1 05	20 57	21 06	1 26	8 23
21	1 00	7 36	8 25	2 34	19 21	19 43	1 05	21 14	21 23	1 26	8 28
23	1 25	9 13	9 58	2 43	20 05	20 26	1 06	21 31	21 39	1 26	8 33
25	1 49	10 41	11 21	2 52	20 47	21 08	1 06	21 47	21 55	1 26	8 38
27	2 11	11 58	12 33	3 01	21 28	21 47	1 07	22 02	22 10	1 25	8 43
29	2 31	13 04	13 N 32	3 10	22 06	22 N 24	1 08	22 17	22 N 24	1 25	8 48
31	2 N 48	13 N 57		3 N 18	22 N 42		1 N 08	22 N 31		1 N 25	8 N52

FIRST QUARTER–Mar.28,23h.48m. (8°♋38′)

FULL MOON–Mar. 6,23h.14m. (16°♍43′)

EPHEMERIS]				MARCH 2004					7
D	☿	♀	♂	♃	♄	♅	♆	♇	
M	Long.	Long.	Long.	Long.	Long.	Long.	Long.	Long.	
	° ′	° ′	° ′	° ′	° ′	° ′	° ′	° ′	
1	9♓00	25♈14	17♉18	14♍19	6♋19	3♓16	13♒54	22♐06	
2	10 52	26 22	17 56	14R 11	6R 19	3 20	13 56	22 07	
3	12 45	27 29	18 35	14 03	6 18	3 23	13 58	22 07	
4	14 38	28 36	19 13	13 56	6 18	3 26	14 00	22 08	
5	16 33	29♈43	19 52	13 48	6 17	3 30	14 02	22 09	
6	18 28	0♉49	20 30	13 40	6 17	3 33	14 04	22 09	
7	20 24	1 56	21 09	13 32	6 17	3 37	14 06	22 10	
8	22 21	3 02	21 47	13 24	6D 17	3 40	14 08	22 10	
9	24 18	4 08	22 26	13 16	6 17	3 43	14 10	22 11	
10	26 16	5 13	23 04	13 09	6 18	3 47	14 12	22 11	
11	28♓13	6 19	23 42	13 01	6 18	3 50	14 14	22 12	
12	0♈11	7 24	24 21	12 53	6 18	3 53	14 16	22 12	
13	2 09	8 29	24 59	12 46	6 19	3 57	14 18	22 13	
14	4 06	9 33	25 38	12 38	6 20	4 00	14 20	22 13	
15	6 02	10 38	26 16	12 31	6 21	4 03	14 22	22 13	
16	7 57	11 42	26 55	12 23	6 22	4 07	14 24	22 14	
17	9 50	12 45	27 33	12 16	6 23	4 10	14 25	22 14	
18	11 41	13 49	28 12	12 08	6 24	4 13	14 27	22 14	
19	13 30	14 52	28 50	12 01	6 25	4 16	14 29	22 14	
20	15 16	15 55	29♉29	11 54	6 26	4 19	14 31	22 14	
21	16 59	16 57	0♊07	11 47	6 28	4 23	14 32	22 15	
22	18 38	17 59	0 45	11 40	6 29	4 26	14 34	22 15	
23	20 13	19 01	1 24	11 33	6 31	4 29	14 36	22 15	
24	21 43	20 02	2 02	11 26	6 33	4 32	14 37	22 15	
25	23 09	21 03	2 41	11 19	6 35	4 35	14 39	22R 15	
26	24 28	22 04	3 19	11 13	6 37	4 38	14 41	22 15	
27	25 42	23 04	3 58	11 06	6 39	4 41	14 42	22 15	
28	26 50	24 04	4 36	11 00	6 41	4 44	14 44	22 14	
29	27 51	25 03	5 14	10 54	6 44	4 47	14 45	22 14	
30	28 46	26 02	5 53	10 48	6 46	4 50	14 47	22 14	
31	29♈34	27♉01	6♊31	10♍42	6♋49	4♓53	14♒48	22♐14	

Lunar Aspects

D	☉	☿	♀	♂	♃	♄	♅	♆	♇
1	△	△		∠		☌	△		
2				✱	✱		⚻		
3	⚻	⚻	□		∠	⊻			⚻
4				□	⊻			☍	
5			△			∠	☍		△
6	☍		⚻		☌	✱			
7		☍		△				⚻	□
8				⚻	⊻	□		△	
9					∠		⚻		✱
10	⚻	⚻	☍			△	△		∠
11	△			☍	✱	⚻		□	⊻
12		△					□		
13	□		⚻		□			✱	☌
14		□				☍	✱	∠	
15			△	⚻	△		∠	⊻	⊻
16	✱			△	⚻		⊻		∠
17	∠	✱	□					☌	
18	⊻	∠		□		⚻	☌		✱
19		⊻	✱		☍	△		⊻	
20	☌			✱				∠	□
21			∠			□	⊻		
22		☌	⊻	∠	⚻		∠	✱	△
23	⊻			⊻		✱	✱		⚻
24	∠		☌		△			□	
25		⊻		●		∠			
26	✱	∠			□	⊻	□	△	
27		✱	⊻						☍
28	□			⊻		☌	△	⚻	
29			∠	∠	✱		⚻		
30		□	✱		∠				
31	△			✱	⊻	⊻		☍	⚻

D	Saturn		Uranus		Neptune		Pluto	
M	Lat.	Dec.	Lat.	Dec.	Lat.	Dec.	Lat.	Dec.
	° ′	° ′	° ′	° ′	° ′	° ′	° ′	° ′
1	0S32	22N46	0S43	10S59	0S02	16S41	8N44	14S29
3	0 31	22 46	0 43	10 56	0 02	16 40	8 45	14 29
5	0 31	22 46	0 43	10 54	0 02	16 39	8 45	14 28
7	0 31	22 47	0 43	10 52	0 02	16 38	8 46	14 28
9	0 31	22 47	0 43	10 49	0 02	16 37	8 46	14 28
11	0 30	22 47	0 43	10 47	0 02	16 36	8 46	14 27
13	0 30	22 48	0 43	10 44	0 02	16 35	8 47	14 27
15	0 30	22 48	0 43	10 42	0 02	16 34	8 47	14 27
17	0 29	22 48	0 44	10 40	0 02	16 33	8 47	14 26
19	0 29	22 48	0 44	10 37	0 02	16 32	8 48	14 26
21	0 29	22 48	0 44	10 35	0 02	16 31	8 48	14 25
23	0 28	22 48	0 44	10 33	0 02	16 30	8 49	14 25
25	0 28	22 49	0 44	10 30	0 02	16 29	8 49	14 25
27	0 28	22 49	0 44	10 28	0 02	16 28	8 49	14 24
29	0 27	22 49	0 44	10 26	0 03	16 27	8 50	14 24
31	0S27	22N49	0S44	10S24	0S03	16S26	8N50	14S23

Mutual Aspects

1 ☉#♃.
2 ♀Q♆. ♀#♅.
3 ☿∠♀.
4 ☉☌☿. ☉☍♃. ☉⊻♆. ☿☍♃. ☿⊻♆.
♀⚻♃. ♃∇♆. ☿#♃.
7 ☿⊥♆. ♂∠♄. ☉‖☿. ♄Stat.
8 ☿✱♂. ☿□♇.
9 ♀✱♅. ♂∇♇. ♀#♇.
10 ☉∠♀. ☉⊥♆.
11 ♀✱♄.
12 ☉□♇. ☿∠♆. ♀⚻♇.
13 ☿⊥♀.
14 ☿⊻♅. ♀#♆.
15 ☿□♄. ☉#☿.
17 ☿⊥♅. ♀△♃.
18 ☉✱♂. ☿∇♃. ♅Q♇.
19 ☉∠♆. ☿∠♂. ♀□♆.
20 ☿✱♆. ♀Q♅. ♀±♇.
21 ☿⊻♀. ☿±♃.
22 ♂⊥♄. ☿‖♃.
23 ☿∠♅.
24 ☉⊻♅. ☿△♇. ♇Stat.
25 ☿#♅.
26 ☉□♄. ☿Q♄. ♀∠♄. ♀∇♇.
27 ☿⚻♃.
28 ☿Q♆. ♂□♅.
30 ♀‖♂.
31 ☉∇♃. ☉⊥♅. ♂⊻♄. ♀‖♄.

LAST QUARTER–Mar.13,21h.01m. (23°♐37′)

NEW MOON–Apr.19,13h.21m. (29°♈49′)

D M	D W	Sidereal Time	☉ Long.	☉ Dec.	☽ Long.	☽ Lat.	☽ Dec.	☽ Node	24h. ☽ Long.	24h. ☽ Dec.
		h m s	° ′ ″	° ′	° ′ ″	° ′	° ′	° ′	° ′ ″	° ′
1	Th	0 40 44	12 ♈ 05 47	4 N47	21 ♌ 59 37	5 N08	19 N02	12 ♉ 52	28 ♌ 29 37	16 N40
2	F	0 44 41	13 04 56	5 10	5 ♍ 05 20	4 47	14 06	12 48	11 ♍ 46 48	11 19
3	S	0 48 38	14 04 04	5 33	18 33 58	4 10	8 21	12 45	25 26 38	5 N16
4	Su	0 52 34	15 03 09	5 56	2 ♎ 24 29	3 18	2 N04	12 42	9 ♎ 27 06	1 S12
5	M	0 56 31	16 02 12	6 19	16 33 57	2 12	4 S29	12 39	23 44 25	7 44
6	T	1 00 27	17 01 13	6 41	0 ♏ 57 48	0 N57	10 55	12 36	8 ♏ 13 23	13 59
7	W	1 04 24	18 00 12	7 04	15 30 25	0 S23	16 51	12 33	22 48 09	19 29
8	Th	1 08 20	18 59 09	7 26	0 ♐ 05 53	1 42	21 50	12 29	7 ♐ 22 56	23 49
9	F	1 12 17	19 58 05	7 48	14 38 42	2 54	25 26	12 26	21 52 40	26 36
10	S	1 16 13	20 56 59	8 11	29 04 21	3 54	27 20	12 23	6 ♑ 13 24	27 36
11	Su	1 20 10	21 55 51	8 33	13 ♑ 19 30	4 39	27 24	12 20	20 22 25	26 45
12	M	1 24 07	22 54 41	8 55	27 22 00	5 06	25 41	12 17	4 ♒ 18 07	24 15
13	T	1 28 03	23 53 30	9 16	11 ♒ 10 41	5 16	22 28	12 13	17 59 40	20 24
14	W	1 32 00	24 52 17	9 38	24 45 03	5 07	18 05	12 10	1 ♓ 26 50	15 34
15	Th	1 35 56	25 51 02	9 59	8 ♓ 05 02	4 42	12 54	12 07	14 39 42	10 06
16	F	1 39 53	26 49 45	10 21	21 10 50	4 03	7 13	12 04	27 38 31	4 S17
17	S	1 43 49	27 48 27	10 42	4 ♈ 02 47	3 11	1 S19	12 01	10 ♈ 23 43	1 N38
18	Su	1 47 46	28 47 07	11 03	16 41 23	2 12	4 N32	11 58	22 55 53	7 23
19	M	1 51 42	29 ♈ 45 44	11 23	29 07 21	1 S06	10 08	11 54	5 ♉ 15 56	12 46
20	T	1 55 39	0 ♉ 44 20	11 44	11 ♉ 21 47	0 N01	15 15	11 51	17 25 08	17 35
21	W	1 59 36	1 42 54	12 04	23 26 13	1 07	19 43	11 48	29 25 18	21 39
22	Th	2 03 32	2 41 26	12 24	5 ♊ 22 42	2 10	23 20	11 45	11 ♊ 18 46	24 46
23	F	2 07 29	3 39 56	12 44	17 13 53	3 07	25 56	11 42	23 08 28	26 48
24	S	2 11 25	4 38 24	13 04	29 02 58	3 55	27 22	11 39	4 ♋ 57 54	27 37
25	Su	2 15 22	5 36 50	13 24	10 ♋ 53 44	4 34	27 33	11 35	16 51 02	27 10
26	M	2 19 18	6 35 14	13 43	22 50 21	5 01	26 27	11 32	28 52 15	25 26
27	T	2 23 15	7 33 36	14 02	4 ♌ 57 18	5 16	24 08	11 29	11 ♌ 06 04	22 31
28	W	2 27 11	8 31 55	14 21	17 19 05	5 16	20 39	11 26	23 36 54	18 31
29	Th	2 31 08	9 30 13	14 39	29 59 59	5 01	16 09	11 23	6 ♍ 28 46	13 35
30	F	2 35 05	10 ♉ 28 28	14 N58	13 ♍ 03 35	4 N30	10 N49	11 ♉ 19	19 ♍ 44 42	7 N52

D M	Mercury Lat.	Mercury Dec.		Venus Lat.	Venus Dec.		Mars Lat.	Mars Dec.		Jupiter Lat.	Jupiter Dec.
	° ′	° ′	° ′	° ′	° ′	° ′	° ′	° ′	° ′	° ′	° ′
1	2 N55	14 N18	14 N 36	3 N 23	23 N00	23 N17	1 N 08	22 N38	22 N 44	1 N 25	8 N54
3	3 06	14 50	15 00	3 31	23 33	23 49	1 09	22 51	22 57	1 25	8 58
5	3 12	15 07	15 09	3 39	24 05	24 20	1 09	23 03	23 09	1 25	9 02
7	3 12	15 08	15 04	3 46	24 34	24 48	1 10	23 15	23 20	1 24	9 06
9	3 07	14 56	14 44	3 53	25 02	25 15	1 10	23 26	23 31	1 24	9 09
11	2 55	14 29	14 10	4 00	25 27	25 39	1 11	23 36	23 41	1 24	9 12
13	2 37	13 49	13 26	4 07	25 50	26 01	1 11	23 45	23 50	1 23	9 15
15	2 13	13 00	12 32	4 12	26 11	26 21	1 11	23 54	23 58	1 23	9 17
17	1 45	12 03	11 33	4 18	26 30	26 39	1 12	24 02	24 06	1 23	9 20
19	1 14	11 02	10 32	4 23	26 47	26 55	1 12	24 09	24 13	1 23	9 22
21	0 40	10 02	9 32	4 27	27 02	27 08	1 12	24 16	24 19	1 22	9 23
23	0 N06	9 04	8 37	4 30	27 14	27 20	1 13	24 21	24 24	1 22	9 25
25	0 S27	8 12	7 49	4 33	27 25	27 30	1 13	24 26	24 29	1 22	9 26
27	0 58	7 29	7 11	4 35	27 34	27 37	1 13	24 31	24 33	1 21	9 27
29	1 27	6 55	6 N 41	4 36	27 41	27 N43	1 13	24 34	24 N 36	1 21	9 27
31	1 S53	6 N31		4 N 36	27 N45		1 N 14	24 N37		1 N 20	9 N28

FIRST QUARTER–Apr.27,17h.32m. (7°♌47′)

D M	☿ Long.	♀ Long.	♂ Long.	♃ Long.	♄ Long.	♅ Long.	♆ Long.	♇ Long.	Lunar Aspects ☉	☿	♀	♂	♃	♄	♅	♆	♇
	° ′	° ′	° ′	° ′	° ′	° ′	° ′	° ′									
1	0♉16	27♉59	7♊09	10♍36	6♋51	4♓56	14♒50	22♐14	⚻		□			∠			△
2	0 50	28 56	7 48	10R 30	6 54	4 59	14 51	22R 13		△		□	☌	✱	☍		
3	1 17	29♉53	8 26	10 25	6 57	5 02	14 52	22 13		⚻							□
4	1 36	0♊49	9 05	10 19	7 00	5 05	14 54	22 13			△	△		□		⚻	
5	1 49	1 45	9 43	10 14	7 03	5 08	14 55	22 12	☍		⚻		⚺		⚻	△	✱
6	1 55	2 41	10 21	10 09	7 06	5 10	14 56	22 12		☍		⚻	∠	△	△		∠
7	1R 54	3 35	11 00	10 04	7 09	5 13	14 58	22 12					✱	⚻		□	⚺
8	1 47	4 30	11 38	9 59	7 13	5 16	14 59	22 11	⚻		☍				□		
9	1 33	5 23	12 16	9 55	7 16	5 19	15 00	22 11	△	⚻		☍	□			✱	
10	1 13	6 16	12 54	9 50	7 20	5 21	15 01	22 10		△					✱	∠	☌
11	0 48	7 08	13 33	9 46	7 23	5 24	15 03	22 10					△	☍		⚺	
12	0♉18	8 00	14 11	9 42	7 27	5 26	15 04	22 09	□	□	⚻	⚻	⚻		∠		⚺
13	29♈45	8 51	14 49	9 38	7 31	5 29	15 05	22 08			△	△			⚺	☌	∠
14	29 07	9 41	15 28	9 34	7 35	5 32	15 06	22 08	✱	✱				⚻			✱
15	28 27	10 30	16 06	9 30	7 39	5 34	15 07	22 07	∠	∠	□		☍	△	☌		
16	27 45	11 19	16 44	9 27	7 43	5 37	15 08	22 06	⚺	⚺		□				⚺	□
17	27 02	12 06	17 22	9 23	7 47	5 39	15 09	22 06						□	⚺	∠	
18	26 19	12 53	18 00	9 20	7 51	5 41	15 10	22 05			✱	✱			∠	✱	△
19	25 36	13 39	18 39	9 17	7 55	5 44	15 11	22 04	●	☌	∠	∠	⚻				
20	24 54	14 24	19 17	9 15	8 00	5 46	15 12	22 03			⚺		△	✱	✱	□	⚻
21	24 15	15 08	19 55	9 12	8 04	5 48	15 13	22 02		⚺		⚺		∠			
22	23 38	15 52	20 33	9 10	8 09	5 51	15 13	22 02	⚺	∠			□	⚺	□		
23	23 04	16 34	21 12	9 07	8 14	5 53	15 14	22 01	∠	✱	☌	☌				△	☍
24	22 34	17 15	21 50	9 05	8 18	5 55	15 15	22 00								⚻	
25	22 08	17 55	22 28	9 03	8 23	5 57	15 16	21 59	✱				✱	☌	△		
26	21 47	18 34	23 06	9 02	8 28	5 59	15 16	21 58		□	⚺	⚺	∠		⚻		
27	21 30	19 11	23 44	9 00	8 33	6 01	15 17	21 57	□		∠	∠	⚺	⚺			⚻
28	21 17	19 48	24 22	8 59	8 38	6 03	15 18	21 56		△	✱					☍	△
29	21 10	20 23	25 00	8 58	8 43	6 05	15 18	21 55		⚻		✱		∠	☍		
30	21♈07	20♊56	25♊39	8♍57	8♋49	6♓07	15♒19	21♐54	△				☌	✱			

D M	Saturn Lat.	Saturn Dec.	Uranus Lat.	Uranus Dec.	Neptune Lat.	Neptune Dec.	Pluto Lat.	Pluto Dec.
	° ′	° ′	° ′	° ′	° ′	° ′	° ′	° ′
1	0S27	22N49	0S44	10S23	0S03	16S26	8N50	14S23
3	0 27	22 49	0 44	10 21	0 03	16 25	8 51	14 23
5	0 26	22 49	0 44	10 19	0 03	16 24	8 51	14 22
7	0 26	22 49	0 44	10 17	0 03	16 23	8 51	14 22
9	0 26	22 49	0 44	10 15	0 03	16 23	8 52	14 22
11	0 26	22 48	0 44	10 13	0 03	16 22	8 52	14 21
13	0 25	22 48	0 44	10 11	0 03	16 21	8 52	14 21
15	0 25	22 48	0 44	10 09	0 03	16 21	8 53	14 21
17	0 25	22 48	0 44	10 08	0 03	16 20	8 53	14 20
19	0 25	22 48	0 44	10 06	0 03	16 20	8 53	14 20
21	0 24	22 47	0 44	10 04	0 03	16 19	8 54	14 19
23	0 24	22 47	0 44	10 03	0 03	16 19	8 54	14 19
25	0 24	22 47	0 44	10 01	0 03	16 18	8 54	14 19
27	0 24	22 46	0 45	10 00	0 03	16 18	8 54	14 18
29	0 23	22 46	0 45	9 58	0 03	16 18	8 55	14 18
31	0S23	22N46	0S45	9S57	0S03	16S17	8N55	14S18

Mutual Aspects

1 ☿⫲♇. 3 ♂∥♄.
4 ☉✱♆. ♀⊥♄.
5 ☉±♃. ☿⚺♀.
6 ♂□♃. ☿Stat.
9 ☉∠♅. ♀□♅.
11 ☉△♇. ☿⊥♀. ♀⚺♄. ☿⫲♇.
13 ☉∠♀. ☿∠♂. ♂△♆. ☉∥♃.
14 ☉⚻♃. ♀□♃.
15 ☉Q♄. ☉⫲♅.
16 ☉Q♆.
17 ☉☌☿. ☿∠♀. ☿Q♆.
19 ☿Q♄. ☉∥☿.
21 ☿⚻♃. ♀△♆. ☿⫲♅.
22 ☿∥♃. 24 ♂☍♇.
25 ☉✱♅. ☿✱♂. ☿△♇.
26 ☉⚻♇.
28 ☉△♃. ☉✱♄. ☉⫲♇.
30 ☿✱♀. ☿∠♅. ☿Stat.

NEW MOON–May 19,04h.52m. (28° ♉ 33′)

D M	D W	Sidereal Time	☉ Long.	☉ Dec.	☽ Long.	☽ Lat.	☽ Dec.	☽ Node	24h. ☽ Long.	24h. ☽ Dec.
		h m s	° ′ ″	° ′	° ′ ″	° ′	° ′	° ′	° ′ ″	° ′
1	S	2 39 01	11 ♉ 26 42	15 N16	26 ♍ 32 16	3 N44	4 N48	11 ♉ 16	3 ♎ 26 19	1 N37
2	Su	2 42 58	12 24 53	15 34	10 ♎ 26 45	2 43	1 S38	11 13	17 33 17	4 S55
3	M	2 46 54	13 23 02	15 51	24 45 30	1 30	8 11	11 10	2 ♏ 02 52	11 23
4	T	2 50 51	14 21 10	16 09	9 ♏ 24 38	0 N10	14 28	11 07	16 49 59	17 22
5	W	2 54 47	15 19 16	16 26	24 17 57	1 S12	20 00	11 04	1 ♐ 47 31	22 21
6	Th	2 58 44	16 17 20	16 43	9 ♐ 17 38	2 29	24 18	11 00	16 47 14	25 51
7	F	3 02 40	17 15 23	16 59	24 15 19	3 37	26 55	10 57	1 ♑ 40 55	27 31
8	S	3 06 37	18 13 25	17 15	9 ♑ 03 12	4 29	27 36	10 54	16 21 28	27 12
9	Su	3 10 34	19 11 25	17 31	23 35 06	5 02	26 20	10 51	0 ♒ 43 42	25 04
10	M	3 14 30	20 09 24	17 47	7 ♒ 46 58	5 16	23 25	10 48	14 44 43	21 27
11	T	3 18 27	21 07 21	18 02	21 36 56	5 12	19 13	10 45	28 23 40	16 46
12	W	3 22 23	22 05 17	18 17	5 ♓ 05 04	4 50	14 08	10 41	11 ♓ 41 21	11 23
13	Th	3 26 20	23 03 12	18 32	18 12 47	4 13	8 33	10 38	24 39 39	5 S39
14	F	3 30 16	24 01 06	18 47	1 ♈ 02 17	3 25	2 S43	10 35	7 ♈ 21 01	0 N12
15	S	3 34 13	24 58 58	19 01	13 36 11	2 27	3 N06	10 32	19 48 06	5 57
16	Su	3 38 09	25 56 49	19 15	25 57 04	1 24	8 43	10 29	2 ♉ 03 25	11 24
17	M	3 42 06	26 54 39	19 28	8 ♉ 07 26	0 S17	13 56	10 25	14 09 22	16 20
18	T	3 46 03	27 52 27	19 41	20 09 30	0 N49	18 34	10 22	26 08 04	20 36
19	W	3 49 59	28 50 14	19 54	2 ♊ 05 21	1 52	22 25	10 19	8 ♊ 01 34	23 59
20	Th	3 53 56	29 ♉ 48 00	20 07	13 57 00	2 51	25 18	10 16	19 51 53	26 20
21	F	3 57 52	0 ♊ 45 45	20 19	25 46 30	3 41	27 04	10 13	1 ♋ 41 08	27 29
22	S	4 01 49	1 43 27	20 30	7 ♋ 36 07	4 22	27 35	10 10	13 31 46	27 23
23	Su	4 05 45	2 41 09	20 42	19 28 28	4 52	26 51	10 06	25 26 35	26 01
24	M	4 09 42	3 38 49	20 53	1 ♌ 26 32	5 10	24 52	10 03	7 ♌ 28 46	23 27
25	T	4 13 38	4 36 27	21 04	13 33 46	5 14	21 46	10 00	19 41 59	19 49
26	W	4 17 35	5 34 04	21 14	25 53 57	5 04	17 39	9 57	2 ♍ 10 09	15 16
27	Th	4 21 32	6 31 40	21 24	8 ♍ 31 05	4 39	12 41	9 54	14 57 15	9 56
28	F	4 25 28	7 29 14	21 34	21 29 05	3 59	7 02	9 51	28 06 59	4 N01
29	S	4 29 25	8 26 47	21 43	4 ♎ 51 18	3 06	0 N55	9 47	11 ♎ 42 16	2 S16
30	Su	4 33 21	9 24 18	21 52	18 40 00	2 00	5 S28	9 44	25 44 30	8 40
31	M	4 37 18	10 ♊ 21 48	22 N00	2 ♏ 55 35	0 N44	11 S48	9 ♉ 41	10 ♏ 12 55	14 S49

D M	Mercury Lat.	Mercury Dec.		Venus Lat.	Venus Dec.		Mars Lat.	Mars Dec.		Jupiter Lat.	Jupiter Dec.
	° ′	° ′	° ′	° ′	° ′	° ′	° ′	° ′	° ′	° ′	° ′
1	1 S53	6 N31	6 N23	4 N36	27 N45	27 N47	1 N14	24 N37	24 N38	1 N20	9 N28
3	2 15	6 17	6 14	4 35	27 48	27 49	1 14	24 39	24 40	1 20	9 28
5	2 34	6 13	6 15	4 33	27 49	27 49	1 14	24 40	24 40	1 20	9 28
7	2 49	6 19	6 26	4 29	27 48	27 46	1 14	24 41	24 41	1 19	9 27
9	3 01	6 34	6 45	4 25	27 45	27 43	1 14	24 40	24 40	1 19	9 26
11	3 10	6 58	7 12	4 18	27 40	27 37	1 14	24 39	24 38	1 19	9 25
13	3 15	7 29	7 47	4 11	27 33	27 29	1 15	24 37	24 36	1 18	9 24
15	3 18	8 06	8 28	4 01	27 24	27 19	1 15	24 35	24 33	1 18	9 22
17	3 17	8 51	9 15	3 50	27 13	27 07	1 15	24 32	24 30	1 17	9 20
19	3 14	9 40	10 07	3 37	27 00	26 52	1 15	24 28	24 25	1 17	9 18
21	3 08	10 35	11 04	3 22	26 44	26 36	1 15	24 23	24 20	1 17	9 16
23	3 00	11 34	12 05	3 05	26 27	26 17	1 15	24 17	24 14	1 16	9 13
25	2 49	12 36	13 09	2 46	26 07	25 56	1 15	24 11	24 08	1 16	9 10
27	2 36	13 42	14 16	2 25	25 44	25 32	1 15	24 04	24 01	1 16	9 07
29	2 22	14 50	15 N24	2 02	25 19	25 N05	1 15	23 57	23 N53	1 15	9 03
31	2 S05	15 N59		1 N37	24 N51		1 N15	23 N48		1 N15	9 N00

FIRST QUARTER–May 27,07h.57m. (6° ♍ 22′)

FULL MOON–May 4,20h.33m. (14°♏42′)

D M	☿ Long.	♀ Long.	♂ Long.	♃ Long.	♄ Long.	♅ Long.	♆ Long.	♇ Long.	☉	☿	♀	♂	♃	♄	♅	♆	♇
	° ′	° ′	° ′	° ′	° ′	° ′	° ′	° ′									
1	21♈09	21♊28	26♊17	8♍56	8♋54	6♓09	15♒19	21♐53	⚼		□	□				⚼	□
2	21D 16	21 59	26 55	8R 56	8 59	6 11	15 20	21R 52					⚺	□		△	
3	21 28	22 29	27 33	8 55	9 05	6 13	15 20	21 50		☍	△	△	∠		⚼		⚹
4	21 44	22 56	28 11	8 55	9 10	6 15	15 21	21 49	☍		⚼	⚼	⚹	△	△	□	∠
5	22 05	23 22	28 49	8D 55	9 16	6 16	15 21	21 48						⚼			⚺
6	22 31	23 47	29♊27	8 55	9 22	6 18	15 22	21 47		⚼			□		□	⚹	
7	23 00	24 10	0♋05	8 55	9 27	6 20	15 22	21 46		△	☍	☍				∠	☌
8	23 34	24 30	0 43	8 56	9 33	6 21	15 22	21 44	⚼				△	☍	⚹	⚺	
9	24 11	24 49	1 21	8 57	9 39	6 23	15 23	21 43	△	□			⚼		∠		⚺
10	24 53	25 07	1 59	8 58	9 45	6 24	15 23	21 42			⚼				⚺		∠
11	25 38	25 22	2 37	8 59	9 51	6 26	15 23	21 41	□	⚹	△	⚼		⚼		☌	⚹
12	26 26	25 35	3 15	9 00	9 57	6 27	15 23	21 39				△	☍	△	☌		
13	27 18	25 46	3 53	9 01	10 03	6 29	15 23	21 38	⚹	∠						⚺	□
14	28 13	25 55	4 31	9 03	10 09	6 30	15 23	21 37		⚺	□	□			⚺	∠	
15	29♈12	26 01	5 09	9 05	10 15	6 31	15 24	21 35	∠					□		⚹	
16	0♉13	26 06	5 47	9 07	10 22	6 32	15 24	21 34	⚺	☌	⚹		⚼		∠		△
17	1 18	26 08	6 25	9 09	10 28	6 34	15 24	21 32			∠	⚹	△	⚹	⚹		⚼
18	2 25	26R 08	7 03	9 11	10 34	6 35	15R 24	21 31			⚺	∠		∠		□	
19	3 35	26 05	7 41	9 14	10 41	6 36	15 24	21 30	☌	⚺		⚺			□		
20	4 48	26 01	8 19	9 16	10 47	6 37	15 23	21 28					□	⚺		△	
21	6 04	25 53	8 57	9 19	10 54	6 38	15 23	21 27	⚺	∠	☌					⚼	☍
22	7 22	25 43	9 35	9 22	11 00	6 39	15 23	21 25		⚹		☌	⚹	☌	△		
23	8 43	25 31	10 13	9 25	11 07	6 40	15 23	21 24	∠		⚺		∠		⚼		
24	10 06	25 17	10 51	9 29	11 14	6 41	15 23	21 22	⚹								⚼
25	11 32	25 00	11 29	9 32	11 21	6 41	15 23	21 21		□	∠	⚺	⚺	⚺		☍	
26	13 00	24 40	12 07	9 36	11 27	6 42	15 22	21 19			⚹	∠		∠			△
27	14 31	24 19	12 45	9 40	11 34	6 43	15 22	21 18	□			⚹	☌	⚹	☍		
28	16 04	23 55	13 23	9 44	11 41	6 44	15 22	21 16		△	□						□
29	17 40	23 29	14 00	9 48	11 48	6 44	15 21	21 15	△	⚼			⚺			⚼	
30	19 18	23 01	14 38	9 52	11 55	6 45	15 21	21 13	⚼		△	□	∠	□	⚼	△	⚹
31	20♉58	22♊31	15♋16	9♍57	12♋02	6♓45	15♒20	21♐12			⚼		⚹		△		∠

D M	Saturn Lat.	Saturn Dec.	Uranus Lat.	Uranus Dec.	Neptune Lat.	Neptune Dec.	Pluto Lat.	Pluto Dec.
	° ′	° ′	° ′	° ′	° ′	° ′	° ′	° ′
1	0S23	22N46	0S45	9S57	0S03	16S17	8N55	14S18
3	0 23	22 45	0 45	9 56	0 03	16 17	8 55	14 17
5	0 23	22 45	0 45	9 54	0 03	16 17	8 55	14 17
7	0 22	22 44	0 45	9 53	0 03	16 17	8 55	14 17
9	0 22	22 43	0 45	9 52	0 03	16 16	8 55	14 16
11	0 22	22 43	0 45	9 51	0 03	16 16	8 56	14 16
13	0 22	22 42	0 45	9 50	0 03	16 16	8 56	14 16
15	0 21	22 41	0 45	9 49	0 03	16 16	8 56	14 16
17	0 21	22 41	0 45	9 48	0 03	16 16	8 56	14 15
19	0 21	22 40	0 45	9 48	0 03	16 16	8 56	14 15
21	0 21	22 39	0 45	9 47	0 03	16 16	8 56	14 15
23	0 20	22 38	0 45	9 46	0 03	16 16	8 56	14 15
25	0 20	22 37	0 46	9 46	0 03	16 17	8 56	14 15
27	0 20	22 36	0 46	9 45	0 03	16 17	8 56	14 15
29	0 20	22 35	0 46	9 45	0 03	16 17	8 56	14 14
31	0S20	22N34	0S46	9S45	0S03	16S17	8N56	14S14

Mutual Aspects

1 ☉∠♂. ☿∠♅. ♃⚹♄.
2 ♀☍♇. ♂Q♃.
4 ☿△♇. ☉#♆.
5 ☉□♆. ☉±♇. ♃Stat.
6 ♄±♆. 7 ♂⚼♆.
8 ☉⊥♀. ☉Q♅.
9 ☿⚼♃. 10 ☿⚹♀.
12 ☉⊽♇.
13 ☿Q♆.
14 ☿Q♄.
15 ☉∠♄.
16 ☉⚺♀.
17 ♂△♅. ♀Stat. ♆Stat.
18 ☿‖♃. 19 ☿#♅.
21 ☿⚹♅. ☿⚼♇.
22 ♂⚹♃. ♂±♆.
24 ☿∠♀. ☿△♃.
25 ☿⚹♂. ☿⚹♄. ♂☌♄.
26 ☉⊥♄.
27 ☉□♅. ☿±♇.
28 ☉⊥♂. ☿□♆. ☿#♇.
29 ☿⊥♀. 30 ☿Q♅.
31 ☉□♃. ☿⊽♇. ♂⊽♆.

LAST QUARTER–May 11,11h.04m. (21°♒05′)

NEW MOON–June17,20h.27m. (26° ♊ 57′)

D M	D W	Sidereal Time	☉ Long.	☉ Dec.	☽ Long.	☽ Lat.	☽ Dec.	☽ Node	24h. ☽ Long.	24h. ☽ Dec.
		h m s	° ′ ″	° ′	° ′ ″	° ′	° ′	° ′	° ′ ″	° ′
1	T	4 41 14	11 ♊ 19 16	22 N08	17 ♏ 35 58	0 S 36	17 S 39	9 ♉ 38	25 ♏ 04 00	20 S 16
2	W	4 45 11	12 16 44	22 16	2 ♐ 36 06	1 55	22 34	9 35	10 ♐ 11 14	24 30
3	Th	4 49 07	13 14 11	22 23	17 48 11	3 08	26 00	9 31	25 25 41	27 01
4	F	4 53 04	14 11 36	22 30	3 ♑ 02 26	4 06	27 31	9 28	10 ♑ 37 07	27 30
5	S	4 57 01	15 09 01	22 37	18 08 34	4 48	26 58	9 25	25 35 42	25 57
6	Su	5 00 57	16 06 25	22 43	2 ♒ 57 36	5 09	24 30	9 22	10 ♒ 13 31	22 40
7	M	5 04 54	17 03 49	22 49	17 22 58	5 09	20 32	9 19	24 25 36	18 08
8	T	5 08 50	18 01 12	22 54	1 ♓ 21 17	4 51	15 32	9 16	8 ♓ 10 03	12 47
9	W	5 12 47	18 58 34	22 59	14 52 05	4 18	9 55	9 12	21 27 40	7 00
10	Th	5 16 43	19 55 55	23 04	27 57 11	3 31	4 S 03	9 09	4 ♈ 21 07	1 S 06
11	F	5 20 40	20 53 17	23 08	10 ♈ 39 56	2 36	1 N50	9 06	16 54 10	4 N42
12	S	5 24 36	21 50 37	23 11	23 04 22	1 34	7 31	9 03	29 11 02	10 13
13	Su	5 28 33	22 47 58	23 15	5 ♉ 14 42	0 S 29	12 49	9 00	11 ♉ 15 51	15 16
14	M	5 32 30	23 45 17	23 18	17 14 56	0 N36	17 33	8 57	23 12 24	19 40
15	T	5 36 26	24 42 37	23 20	29 08 37	1 38	21 34	8 53	5 ♊ 03 58	23 15
16	W	5 40 23	25 39 56	23 22	10 ♊ 58 44	2 36	24 40	8 50	16 53 15	25 50
17	Th	5 44 19	26 37 14	23 24	22 47 45	3 28	26 42	8 47	28 42 30	27 16
18	F	5 48 16	27 34 32	23 25	4 ♋ 37 43	4 10	27 31	8 44	10 ♋ 33 37	27 27
19	S	5 52 12	28 31 49	23 26	16 30 25	4 41	27 04	8 41	22 28 19	26 22
20	Su	5 56 09	29 ♊ 29 06	23 26	28 27 33	5 00	25 22	8 37	4 ♌ 28 22	24 05
21	M	6 00 05	0 ♋ 26 22	23 26	10 ♌ 31 01	5 06	22 31	8 34	16 35 48	20 42
22	T	6 04 02	1 23 38	23 26	22 43 00	4 59	18 39	8 31	28 52 59	16 23
23	W	6 07 59	2 20 53	23 25	5 ♍ 06 06	4 37	13 56	8 28	11 ♍ 22 46	11 19
24	Th	6 11 55	3 18 07	23 24	17 43 23	4 02	8 34	8 25	24 08 23	5 N41
25	F	6 15 52	4 15 21	23 22	0 ♎ 38 12	3 13	2 N42	8 22	7 ♎ 13 16	0 S 21
26	S	6 19 48	5 12 34	23 20	13 53 58	2 13	3 S 26	8 18	20 40 38	6 32
27	Su	6 23 45	6 09 46	23 18	27 33 34	1 N04	9 36	8 15	4 ♏ 32 55	12 37
28	M	6 27 41	7 06 59	23 15	11 ♏ 38 44	0 S 11	15 30	8 12	18 50 56	18 13
29	T	6 31 38	8 04 10	23 12	26 09 12	1 27	20 42	8 09	3 ♐ 33 05	22 54
30	W	6 35 34	9 ♋ 01 22	23 N08	11 ♐ 01 54	2 S 40	24 S 44	8 ♉ 06	18 ♐ 34 46	26 S 09

D M	Mercury Lat.	Mercury Dec.		Venus Lat.	Venus Dec.		Mars Lat.	Mars Dec.		Jupiter Lat.	Jupiter Dec.
	° ′	° ′	° ′	° ′	° ′	° ′	° ′	° ′	° ′	° ′	° ′
1	1 S 56	16 N34	17 N 09	1 N 24	24 N36	24 N21	1 N 15	23 N44	23 N 39	1 N 15	8 N58
3	1 37	17 44	18 19	0 58	24 05	23 49	1 15	23 34	23 30	1 14	8 54
5	1 17	18 53	19 27	0 30	23 32	23 15	1 15	23 24	23 19	1 14	8 50
7	0 55	20 00	20 32	0 N 02	22 58	22 40	1 15	23 14	23 08	1 14	8 45
9	0 34	21 04	21 34	0 S 27	22 23	22 05	1 15	23 02	22 56	1 13	8 40
11	0 S 11	22 02	22 29	0 55	21 48	21 30	1 14	22 50	22 44	1 13	8 35
13	0 N10	22 54	23 16	1 22	21 13	20 56	1 14	22 37	22 31	1 13	8 30
15	0 31	23 37	23 55	1 48	20 39	20 23	1 14	22 24	22 17	1 12	8 25
17	0 50	24 11	24 24	2 13	20 07	19 52	1 14	22 10	22 03	1 12	8 19
19	1 08	24 34	24 41	2 35	19 38	19 24	1 14	21 55	21 48	1 12	8 14
21	1 22	24 46	24 48	2 56	19 11	18 59	1 14	21 40	21 32	1 11	8 08
23	1 35	24 46	24 43	3 15	18 48	18 37	1 14	21 24	21 16	1 11	8 02
25	1 44	24 36	24 27	3 32	18 27	18 18	1 13	21 08	20 59	1 11	7 55
27	1 50	24 16	24 02	3 47	18 10	18 03	1 13	20 50	20 42	1 10	7 49
29	1 53	23 46	23 N 28	4 00	17 56	17 N51	1 13	20 33	20 N 24	1 10	7 42
31	1 N54	23 N08		4 S 11	17 N46		1 N 13	20 N15		1 N 10	7 N35

FIRST QUARTER–June25,19h.08m. (4° ♎ 32′)

FULL MOON–June 3,04h.20m. (12°♐56′)

D	☿ Long.	♀ Long.	♂ Long.	♃ Long.	♄ Long.	♅ Long.	♆ Long.	♇ Long.	☉	☿	♀	♂	♃	♄	♅	♆	♇
M	° ′	° ′	° ′	° ′	° ′	° ′	° ′	° ′									
1	22♉41	22♊00	15♋54	10♍01	12♋09	6♓46	15♒20	21♐10		☍		△		△		□	⚺
2	24 26	21R 27	16 32	10 06	12 16	6 46	15R 20	21R 08				⚼	□	⚼	□		
3	26 14	20 52	17 10	10 11	12 23	6 46	15 19	21 07	☍		☍					⚹	☌
4	28 04	20 17	17 48	10 16	12 30	6 47	15 18	21 05					△		⚹	∠	
5	29♉56	19 40	18 25	10 21	12 38	6 47	15 18	21 04		⚼		☍	⚼	☍	∠	⚺	⚺
6	1♊51	19 03	19 03	10 27	12 45	6 47	15 17	21 02	⚼	△	⚼				⚺		∠
7	3 48	18 26	19 41	10 32	12 52	6 48	15 17	21 01	△		△					☌	⚹
8	5 47	17 48	20 19	10 38	12 59	6 48	15 16	20 59		□		⚼		⚼	☌		
9	7 48	17 11	20 57	10 44	13 07	6 48	15 15	20 57	□		□	△	☍	△		⚺	□
10	9 51	16 33	21 35	10 50	13 14	6 48	15 15	20 56								∠	
11	11 56	15 56	22 12	10 56	13 21	6R 48	15 14	20 54		⚹	⚹			□	⚺	⚹	
12	14 03	15 20	22 50	11 02	13 29	6 48	15 13	20 53	⚹			□	⚼		∠		△
13	16 11	14 45	23 28	11 09	13 36	6 48	15 12	20 51	∠	∠	∠		△		⚹		⚼
14	18 20	14 12	24 06	11 15	13 44	6 47	15 11	20 49		⚺	⚺			⚹		□	
15	20 31	13 39	24 44	11 22	13 51	6 47	15 10	20 48	⚺			⚹		∠			
16	22 42	13 08	25 21	11 29	13 59	6 47	15 10	20 46			☌	∠	□	⚺	□	△	
17	24 54	12 39	25 59	11 35	14 06	6 47	15 09	20 45	☌	☌		⚺					☍
18	27 05	12 12	26 37	11 43	14 14	6 46	15 08	20 43							△	⚼	
19	29♊17	11 46	27 15	11 50	14 22	6 46	15 07	20 42			⚺		⚹	☌	⚼		
20	1♋29	11 23	27 53	11 57	14 29	6 45	15 06	20 40	⚺	⚺	∠	☌	∠				
21	3 39	11 02	28 30	12 05	14 37	6 45	15 05	20 38	∠		⚹		⚺	⚺		☍	⚼
22	5 49	10 43	29 08	12 12	14 44	6 44	15 04	20 37		∠							△
23	7 58	10 27	29♋46	12 20	14 52	6 44	15 03	20 35	⚹	⚹	□	⚺		∠	☍		
24	10 06	10 13	0♌24	12 28	15 00	6 43	15 02	20 34				∠	☌	⚹			□
25	12 12	10 01	1 02	12 36	15 08	6 42	15 00	20 32	□			⚹				⚼	
26	14 17	9 52	1 39	12 44	15 15	6 42	14 59	20 31		□	△		⚺	□		△	⚹
27	16 20	9 45	2 17	12 52	15 23	6 41	14 58	20 29			⚼	□	∠		⚼		
28	18 21	9 40	2 55	13 00	15 31	6 40	14 57	20 28	△				⚹	△	△	□	∠
29	20 20	9 38	3 33	13 09	15 38	6 39	14 56	20 26	⚼	△				⚼			⚺
30	22♋18	9♊38 D	4♌11	13♍17	15♋46	6♓38	14♒55	20♐25		⚼	☍	△	□		□	⚹	

D	Saturn Lat.	Saturn Dec.	Uranus Lat.	Uranus Dec.	Neptune Lat.	Neptune Dec.	Pluto Lat.	Pluto Dec.
M	° ′	° ′	° ′	° ′	° ′	° ′	° ′	° ′
1	0S20	22N34	0S46	9S44	0S03	16S18	8N56	14S14
3	0 19	22 33	0 46	9 44	0 03	16 18	8 56	14 14
5	0 19	22 31	0 46	9 44	0 03	16 18	8 55	14 14
7	0 19	22 30	0 46	9 44	0 03	16 19	8 55	14 14
9	0 19	22 29	0 46	9 44	0 03	16 19	8 55	14 14
11	0 18	22 28	0 46	9 44	0 03	16 19	8 55	14 14
13	0 18	22 27	0 46	9 44	0 03	16 20	8 55	14 14
15	0 18	22 25	0 46	9 44	0 03	16 20	8 55	14 14
17	0 18	22 24	0 46	9 45	0 04	16 21	8 54	14 14
19	0 18	22 22	0 47	9 45	0 04	16 22	8 54	14 14
21	0 18	22 21	0 47	9 45	0 04	16 22	8 54	14 14
23	0 17	22 19	0 47	9 46	0 04	16 23	8 53	14 14
25	0 17	22 18	0 47	9 46	0 04	16 24	8 53	14 14
27	0 17	22 16	0 47	9 47	0 04	16 24	8 53	14 15
29	0 17	22 15	0 47	9 48	0 04	16 25	8 52	14 15
31	0S17	22N13	0S47	9S49	0S04	16S26	8N52	14S15

Mutual Aspects

1 ☿⊻♀. ☿#♆.
2 ☉⊻♄. 3 ♀☍♇.
4 ☿∠♄. ☉∥♄.
5 ☉△♆.
6 ♀⊻♂. ♀∥♂.
7 ☉∥♀.
8 ☉☌♀. ☿∠♂.
9 ☿⊥♄. ☿□♅. ♂▽♇. ☉∥♂. ♀∥♄.
10 ☿□♃. ♂⚼♅. ♅Stat.
11 ☉☍♇. ♀⊥♂. ☿∥♀.
12 ☿☌♀. ☿⊻♄. ♀△♆. ☿∥♂. ☿∥♄.
13 ☿△♆.
14 ☿⊥♂. ☉∥☿.
15 ☉⊻♂. ☿☍♇. ♀⊻♄. ♂∥♄.
18 ☉☌☿. ☿⊻♂. ♂∠♃. ♂±♇.
19 ☿Q♃. ☿⚼♆. ♀∠♂. ♀□♃.
21 ☉Q♃. ☉⚼♆.
22 ☿△♅. 23 ☿±♆.
24 ☿⊻♀. ♄▽♆.
25 ☿⚹♃. ♂±♅.
26 ☿▽♆.
27 ☿⊥♀. ☿☌♄.
28 ☉△♅.
29 ☿▽♇. ♀⊥♄. ♀Stat.
30 ☉±♆. ☿⚼♅.

LAST QUARTER–June 9,20h.02m. (19°♓18′)

NEW MOON–July17,11h.24m. (25°♋13′)

D M	D W	Sidereal Time	☉ Long.	☉ Dec.	☽ Long.	☽ Lat.	☽ Dec.	☽ Node	24h. ☽ Long.	24h. ☽ Dec.
		h m s	° ′ ″	° ′	° ′ ″	° ′	° ′	° ′	° ′ ″	° ′
1	Th	6 39 31	9 ♋ 58 33	23 N04	26 ♐ 10 36	3 S 42	27 S 05	8 ♉ 02	3 ♑ 48 12	27 S 31
2	F	6 43 28	10 55 44	22 59	11 ♑ 26 12	4 29	27 25	7 59	19 03 16	26 47
3	S	6 47 24	11 52 55	22 55	26 37 59	4 56	25 41	7 56	4 ♒ 09 06	24 07
4	Su	6 51 21	12 50 06	22 49	11 ♒ 35 27	5 03	22 10	7 53	18 56 03	19 53
5	M	6 55 17	13 47 17	22 44	26 10 07	4 50	17 20	7 50	3 ♓ 17 08	14 36
6	T	6 59 14	14 44 28	22 38	10 ♓ 16 46	4 19	11 43	7 47	17 08 55	8 44
7	W	7 03 10	15 41 39	22 31	23 53 38	3 35	5 S 43	7 43	0 ♈ 31 10	2 S 41
8	Th	7 07 07	16 38 51	22 24	7 ♈ 01 55	2 40	0 N20	7 40	13 26 19	3 N18
9	F	7 11 03	17 36 03	22 17	19 44 57	1 39	6 12	7 37	25 58 25	8 59
10	S	7 15 00	18 33 16	22 09	2 ♉ 07 20	0 S 35	11 40	7 34	8 ♉ 12 22	14 12
11	Su	7 18 57	19 30 29	22 01	14 14 09	0 N29	16 35	7 31	20 13 17	18 47
12	M	7 22 53	20 27 43	21 53	26 10 23	1 31	20 47	7 28	2 ♊ 06 00	22 33
13	T	7 26 50	21 24 57	21 44	8 ♊ 00 40	2 29	24 06	7 24	13 54 51	25 22
14	W	7 30 46	22 22 11	21 35	19 48 58	3 20	26 22	7 21	25 43 25	27 04
15	Th	7 34 43	23 19 27	21 26	1 ♋ 38 32	4 02	27 28	7 18	7 ♋ 34 35	27 32
16	F	7 38 39	24 16 42	21 16	13 31 50	4 33	27 17	7 15	19 30 29	26 43
17	S	7 42 36	25 13 58	21 05	25 30 42	4 53	25 51	7 12	1 ♌ 32 39	24 40
18	Su	7 46 32	26 11 15	20 55	7 ♌ 36 28	5 00	23 12	7 08	13 42 15	21 28
19	M	7 50 29	27 08 31	20 44	19 50 09	4 53	19 30	7 05	26 00 17	17 19
20	T	7 54 26	28 05 48	20 33	2 ♍ 12 48	4 33	14 56	7 02	8 ♍ 27 52	12 22
21	W	7 58 22	29 ♋ 03 06	20 21	14 45 41	3 59	9 40	6 59	21 06 28	6 51
22	Th	8 02 19	0 ♌ 00 24	20 09	27 30 28	3 13	3 N56	6 56	3 ♎ 57 58	0 N57
23	F	8 06 15	0 57 42	19 57	10 ♎ 29 17	2 15	2 S 05	6 53	17 04 44	5 S 07
24	S	8 10 12	1 55 00	19 44	23 44 38	1 N10	8 08	6 49	0 ♏ 29 17	11 06
25	Su	8 14 08	2 52 19	19 31	7 ♏ 18 57	0 S 02	13 59	6 46	14 13 53	16 43
26	M	8 18 05	3 49 38	19 18	21 14 12	1 14	19 16	6 43	28 19 56	21 35
27	T	8 22 01	4 46 58	19 04	5 ♐ 30 59	2 24	23 36	6 40	12 ♐ 47 06	25 15
28	W	8 25 58	5 44 18	18 50	20 07 50	3 26	26 30	6 37	27 32 36	27 18
29	Th	8 29 55	6 41 39	18 36	5 ♑ 00 34	4 16	27 36	6 34	12 ♑ 30 47	27 24
30	F	8 33 51	7 39 00	18 21	20 02 10	4 48	26 41	6 30	27 33 30	25 30
31	S	8 37 48	8 ♌ 36 22	18 N07	5 ♒ 03 33	5 S 00	23 S 51	6 ♉ 27	12 ♒ 31 06	21 S 49

D M	Mercury Lat.	Mercury Dec.		Venus Lat.	Venus Dec.		Mars Lat.	Mars Dec.		Jupiter Lat.	Jupiter Dec.
	° ′	° ′	° ′	° ′	° ′	° ′	° ′	° ′	° ′	° ′	° ′
1	1 N54	23 N08	22 N 47	4 S 11	17 N46	17 N42	1 N 13	20 N15	20 N 05	1 N 10	7 N35
3	1 52	22 24	21 59	4 20	17 39	17 36	1 13	19 56	19 46	1 09	7 28
5	1 47	21 33	21 05	4 27	17 34	17 33	1 12	19 37	19 27	1 09	7 21
7	1 39	20 37	20 07	4 33	17 32	17 32	1 12	19 17	19 07	1 09	7 14
9	1 30	19 37	19 06	4 38	17 33	17 34	1 12	18 56	18 46	1 09	7 06
11	1 18	18 34	18 01	4 41	17 36	17 38	1 12	18 35	18 25	1 08	6 59
13	1 04	17 28	16 55	4 42	17 40	17 43	1 11	18 14	18 03	1 08	6 51
15	0 49	16 21	15 47	4 43	17 46	17 50	1 11	17 52	17 41	1 08	6 43
17	0 32	15 13	14 38	4 43	17 53	17 58	1 11	17 30	17 19	1 08	6 35
19	0 N13	14 04	13 30	4 42	18 02	18 06	1 11	17 07	16 56	1 08	6 27
21	0 S 07	12 56	12 22	4 39	18 11	18 16	1 10	16 44	16 32	1 07	6 18
23	0 28	11 49	11 16	4 36	18 21	18 26	1 10	16 20	16 08	1 07	6 10
25	0 50	10 43	10 11	4 33	18 31	18 36	1 10	15 56	15 44	1 07	6 01
27	1 13	9 40	9 09	4 28	18 41	18 46	1 09	15 32	15 19	1 07	5 53
29	1 37	8 40	8 N 11	4 23	18 51	18 N56	1 09	15 07	14 N 54	1 07	5 44
31	2 S 02	7 N44		4 S 18	19 N01		1 N 09	14 N42		1 N 06	5 N35

FIRST QUARTER–July25,03h.37m. (2°♏32′)

ULL MOON–July 2,11h.09m. (10°♑54′) & July31,18h.05m. (8°♒51′)

☽ D M	☿ Long.	♀ Long.	♂ Long.	♃ Long.	♄ Long.	♅ Long.	♆ Long.	♇ Long.
	° ′	° ′	° ′	° ′	° ′	° ′	° ′	° ′
1	24♋13	9♊40	4♌48	13♍26	15♋54	6♓37	14♒53	20♐23
2	26 06	9 45	5 26	13 34	16 02	6R 36	14R 52	20R 22
3	27 58	9 52	6 04	13 43	16 09	6 35	14 51	20 20
4	29♋47	10 01	6 42	13 52	16 17	6 34	14 49	20 19
5	1♌34	10 12	7 20	14 01	16 25	6 33	14 48	20 17
6	3 20	10 25	7 57	14 10	16 33	6 32	14 47	20 16
7	5 03	10 40	8 35	14 20	16 41	6 31	14 45	20 15
8	6 44	10 57	9 13	14 29	16 48	6 30	14 44	20 13
9	8 23	11 16	9 51	14 38	16 56	6 28	14 43	20 12
10	10 00	11 37	10 28	14 48	17 04	6 27	14 41	20 10
11	11 35	12 00	11 06	14 58	17 12	6 26	14 40	20 09
12	13 08	12 24	11 44	15 07	17 20	6 24	14 38	20 08
13	14 39	12 50	12 22	15 17	17 27	6 23	14 37	20 07
14	16 07	13 17	13 00	15 27	17 35	6 21	14 35	20 05
15	17 34	13 46	13 38	15 37	17 43	6 20	14 34	20 04
16	18 58	14 17	14 15	15 47	17 51	6 18	14 32	20 03
17	20 21	14 48	14 53	15 57	17 58	6 17	14 31	20 02
18	21 41	15 22	15 31	16 08	18 06	6 15	14 29	20 00
19	22 59	15 56	16 09	16 18	18 14	6 13	14 28	19 59
20	24 14	16 32	16 47	16 28	18 22	6 12	14 26	19 58
21	25 27	17 09	17 25	16 39	18 29	6 10	14 25	19 57
22	26 38	17 47	18 02	16 50	18 37	6 08	14 23	19 56
23	27 46	18 26	18 40	17 00	18 45	6 06	14 22	19 55
24	28 52	19 06	19 18	17 11	18 52	6 05	14 20	19 53
25	29♌55	19 47	19 56	17 22	19 00	6 03	14 18	19 52
26	0♍55	20 29	20 34	17 33	19 08	6 01	14 17	19 51
27	1 52	21 13	21 12	17 44	19 15	5 59	14 15	19 50
28	2 47	21 57	21 50	17 55	19 23	5 57	14 14	19 49
29	3 38	22 42	22 28	18 06	19 30	5 55	14 12	19 48
30	4 26	23 28	23 05	18 17	19 38	5 53	14 10	19 48
31	5♍10	24♊14	23♌43	18♍28	19♋46	5♓51	14♒09	19♐47

Lunar Aspects

D	☉	☿	♀	♂	♃	♄	♅	♆	♇
1				⚼				∠	☌
2	☍				△	☍	✱	⚺	
3		☍	⚼		⚼		∠		⚺
4			△	☍			⚺	☌	∠
5	⚼					⚼			✱
6	△		□		☍	△	☌	⚺	
7		⚼		⚼				∠	□
8		△	✱	△			⚺		
9	□					□	∠	✱	△
10			∠		⚼		✱		⚼
11	✱	□	⚺	□	△	✱		□	
12									
13	∠		☌	✱		∠	□		
14	⚺	✱			□	⚺		△	☍
15		∠		∠			△	⚼	
16			⚺	⚺	✱	☌			
17	☌	⚺	∠		∠		⚼		
18									⚼
19		☌	✱	☌	⚺	⚺		☍	△
20	⚺					∠	☍		
21	∠		□	⚺	☌	✱			□
22	✱	⚺		∠				⚼	
23		∠						△	
24		✱	△	✱	⚺	□	⚼		✱
25	□		⚼		∠		△		∠
26				□	✱	△		□	⚺
27	△	□				⚼	□		
28	⚼		☍	△	□			✱	☌
29		△		⚼			✱	∠	
30		⚼			△	☍	∠	⚺	⚺
31	☍		⚼		⚼		⚺		∠

D M	Saturn Lat.	Saturn Dec.	Uranus Lat.	Uranus Dec.	Neptune Lat.	Neptune Dec.	Pluto Lat.	Pluto Dec.
	° ′	° ′	° ′	° ′	° ′	° ′	° ′	° ′
1	0S17	22N13	0S47	9S49	0S04	16S26	8N52	14S15
3	0 16	22 11	0 47	9 49	0 04	16 26	8 52	14 15
5	0 16	22 10	0 47	9 50	0 04	16 27	8 51	14 15
7	0 16	22 08	0 47	9 51	0 04	16 28	8 51	14 16
9	0 16	22 06	0 47	9 52	0 04	16 29	8 50	14 16
11	0 16	22 04	0 47	9 53	0 04	16 30	8 50	14 16
13	0 16	22 03	0 47	9 54	0 04	16 31	8 49	14 16
15	0 15	22 01	0 47	9 55	0 04	16 32	8 49	14 17
17	0 15	21 59	0 48	9 57	0 04	16 32	8 48	14 17
19	0 15	21 57	0 48	9 58	0 04	16 33	8 48	14 18
21	0 15	21 55	0 48	9 59	0 04	16 34	8 47	14 18
23	0 15	21 53	0 48	10 01	0 04	16 35	8 46	14 18
25	0 15	21 51	0 48	10 02	0 04	16 36	8 46	14 19
27	0 14	21 49	0 48	10 04	0 04	16 37	8 45	14 19
29	0 14	21 47	0 48	10 05	0 04	16 38	8 45	14 20
31	0S14	21N45	0S48	10S07	0S04	16S39	8N44	14S20

Mutual Aspects

1 ☉⚺♀. ☿∠♀. ☉∥☿.
2 ☿±♇. ♂⚼♇.
3 ☿∠♃.
4 ☿±♅. ♂⚻♅. ☿∥♄.
5 ☉✱♃.
6 ☉⚻♆. ♂⊥♃.
7 ☿⚼♇. ♀⊥♄.
8 ☉⊥♀. ☉☌♄. ☿⚻♅.
9 ☿⊥♃. ♃⚻♆.
10 ☿☌♂.
11 ☿✱♀. ☉∥♄. ☿∥♂.
12 ☉⚻♇.
13 ☉⚼♅. ☿⚺♃. ☿☍♆. ☿∥♀.
15 ☿⚺♄. ☿♯♆. ♀∥♂.
16 ♀✱♂. ♀△♆. ♂☍♆.
17 ☿△♇.
18 ☉±♇.
19 ♂⚺♃. ☿♯♇.
20 ☿⊥♄. ♀□♃.
22 ☉±♅. ♂♯♆.
23 ♂⚺♄.
24 ☉∠♃. ♀⚺♄.
25 ♀☍♇. ♂△♇.
26 ☿♯♅.
27 ☉⚼♇. ♀✱♂.
28 ☉⚻♅. ☉∥♀.
30 ☿∠♄.
31 ♄⚻♇.

LAST QUARTER–July 9,07h.34m. (17°♈25′)

NEW MOON–Aug.16,01h.24m. (23°♌31′)

D M	D W	Sidereal Time	☉ Long.	☉ Dec.	☽ Long.	☽ Lat.	☽ Dec.	☽ Node	24h. ☽ Long.	24h. ☽ Dec.
		h m s	° ′ ″	° ′	° ′ ″	° ′	° ′	° ′	° ′ ″	° ′
1	Su	8 41 44	9 ♌ 33 45	17 N52	19 ♒ 54 57	4 S 52	19 S 27	6 ♉ 24	27 ♒ 14 06	16 S 49
2	M	8 45 41	10 31 08	17 36	4 ♓ 27 38	4 25	13 59	6 21	11 ♓ 34 53	11 00
3	T	8 49 37	11 28 33	17 20	18 35 21	3 42	7 55	6 18	25 28 45	4 S 48
4	W	8 53 34	12 25 59	17 04	2 ♈ 15 00	2 48	1 S 40	6 14	8 ♈ 54 12	1 N26
5	Th	8 57 30	13 23 25	16 48	15 26 34	1 46	4 N27	6 11	21 52 30	7 24
6	F	9 01 27	14 20 54	16 32	28 12 29	0 S 40	10 13	6 08	4 ♉ 27 03	12 53
7	S	9 05 24	15 18 23	16 15	10 ♉ 36 50	0 N25	15 25	6 05	16 42 28	17 45
8	Su	9 09 20	16 15 54	15 58	22 44 39	1 28	19 53	6 02	28 44 01	21 48
9	M	9 13 17	17 13 26	15 40	4 ♊ 41 16	2 27	23 29	5 59	10 ♊ 37 01	24 54
10	T	9 17 13	18 11 00	15 23	16 31 54	3 18	26 02	5 55	22 26 28	26 53
11	W	9 21 10	19 08 35	15 05	28 21 17	4 00	27 26	5 52	4 ♋ 16 49	27 40
12	Th	9 25 06	20 06 11	14 47	10 ♋ 13 31	4 33	27 35	5 49	16 11 45	27 10
13	F	9 29 03	21 03 49	14 29	22 11 51	4 53	26 26	5 46	28 14 04	25 23
14	S	9 32 59	22 01 28	14 10	4 ♌ 18 38	5 01	24 03	5 43	10 ♌ 25 43	22 26
15	Su	9 36 56	22 59 08	13 51	16 35 24	4 55	20 33	5 40	22 47 47	18 26
16	M	9 40 53	23 56 50	13 32	29 02 55	4 35	16 06	5 36	5 ♍ 20 48	13 34
17	T	9 44 49	24 54 33	13 13	11 ♍ 41 27	4 01	10 53	5 33	18 04 53	8 04
18	W	9 48 46	25 52 17	12 54	24 31 04	3 14	5 N09	5 30	1 ♎ 00 04	2 N09
19	Th	9 52 42	26 50 02	12 34	7 ♎ 31 53	2 17	0 S 53	5 27	14 06 37	3 S 57
20	F	9 56 39	27 47 48	12 14	20 44 19	1 11	7 00	5 24	27 25 08	9 59
21	S	10 00 35	28 45 36	11 54	4 ♏ 09 09	0 N01	12 54	5 20	10 ♏ 56 32	15 40
22	Su	10 04 32	29 ♌ 43 24	11 34	17 47 23	1 S 11	18 17	5 17	24 41 51	20 40
23	M	10 08 28	0 ♍ 41 14	11 14	1 ♐ 39 58	2 21	22 47	5 14	8 ♐ 41 46	24 36
24	T	10 12 25	1 39 06	10 53	15 47 11	3 22	26 02	5 11	22 56 03	27 04
25	W	10 16 22	2 36 58	10 33	0 ♑ 08 07	4 13	27 39	5 08	7 ♑ 22 58	27 46
26	Th	10 20 18	3 34 51	10 12	14 40 06	4 47	27 23	5 05	21 58 51	26 32
27	F	10 24 15	4 32 46	9 51	29 18 28	5 03	25 14	5 01	6 ♒ 38 07	23 31
28	S	10 28 11	5 30 43	9 29	13 ♒ 56 54	5 00	21 25	4 58	21 13 52	19 00
29	Su	10 32 08	6 28 40	9 08	28 28 07	4 37	16 20	4 55	5 ♓ 38 48	13 27
30	M	10 36 04	7 26 39	8 47	12 ♓ 45 08	3 57	10 25	4 52	19 46 29	7 17
31	T	10 40 01	8 ♍ 24 40	8 N25	26 ♓ 42 20	3 S 03	4 S 07	4 ♉ 49	3 ♈ 32 20	0 S 56

D M	Mercury Lat.	Mercury Dec.		Venus Lat.	Venus Dec.		Mars Lat.	Mars Dec.		Jupiter Lat.	Jupiter Dec.
	° ′	° ′	° ′	° ′	° ′	° ′	° ′	° ′	° ′	° ′	° ′
1	2 S 14	7 N17	6 N 52	4 S 15	19 N06	19 N11	1 N 08	14 N29	14 N 16	1 N 06	5 N30
3	2 39	6 29	6 07	4 08	19 15	19 20	1 08	14 03	13 50	1 06	5 21
5	3 03	5 47	5 28	4 02	19 24	19 28	1 08	13 37	13 23	1 06	5 12
7	3 26	5 12	4 57	3 55	19 32	19 35	1 07	13 10	12 57	1 06	5 03
9	3 48	4 46	4 36	3 47	19 39	19 42	1 07	12 43	12 30	1 06	4 53
11	4 08	4 29	4 25	3 39	19 44	19 47	1 06	12 16	12 02	1 06	4 44
13	4 24	4 24	4 26	3 31	19 49	19 51	1 06	11 49	11 35	1 06	4 34
15	4 36	4 30	4 38	3 23	19 52	19 53	1 06	11 21	11 07	1 05	4 25
17	4 43	4 49	5 03	3 14	19 54	19 54	1 05	10 53	10 38	1 05	4 15
19	4 44	5 20	5 40	3 05	19 54	19 54	1 05	10 24	10 10	1 05	4 05
21	4 37	6 02	6 27	2 56	19 53	19 51	1 04	9 56	9 41	1 05	3 56
23	4 23	6 53	7 21	2 47	19 50	19 48	1 04	9 27	9 12	1 05	3 46
25	4 01	7 50	8 19	2 37	19 45	19 42	1 03	8 58	8 43	1 05	3 36
27	3 33	8 48	9 17	2 28	19 38	19 34	1 03	8 28	8 13	1 05	3 26
29	3 00	9 45	10 N 11	2 19	19 30	19 N25	1 02	7 59	7 N 44	1 05	3 16
31	2 S 24	10 N35		2 S 09	19 N20		1 N 02	7 N29		1 N 05	3 N06

FIRST QUARTER–Aug.23,10h.12m. (0°♐37′)

FULL MOON–Aug.30,02h.22m. (7°♓03′)

D M	☿ Long.	♀ Long.	♂ Long.	♃ Long.	♄ Long.	♅ Long.	♆ Long.	♇ Long.	Lunar Aspects ☉	☿	♀	♂	♃	♄	♅	♆	♇
	° ′	° ′	° ′	° ′	° ′	° ′	° ′	° ′									
1	5♍51	25♊02	24♌21	18♍39	19♋53	5♓49	14♒07	19♐46			△	☍				☌	✱
2	6 28	25 50	24 59	18 51	20 01	5R 47	14R 06	19R 45		☍				⚼	☌		
3	7 01	26 39	25 37	19 02	20 08	5 45	14 04	19 44					☍	△		⊻	□
4	7 30	27 29	26 15	19 14	20 15	5 43	14 02	19 43	⚼		□				⊻	∠	
5	7 55	28 19	26 53	19 25	20 23	5 40	14 01	19 42	△			⚼		□	∠	✱	△
6	8 15	29♊10	27 31	19 37	20 30	5 38	13 59	19 42		⚼	✱	△					
7	8 30	0♋02	28 09	19 49	20 38	5 36	13 57	19 41	□	△	∠		⚼		✱	□	⚼
8	8 40	0 54	28 47	20 00	20 45	5 34	13 56	19 40					△	✱			
9	8 46	1 47	29♌25	20 12	20 52	5 32	13 54	19 40		□	⊻	□		∠	□		
10	8R 46	2 41	0♍03	20 24	20 59	5 29	13 53	19 39	✱				□	⊻		△	☍
11	8 41	3 35	0 41	20 36	21 07	5 27	13 51	19 38			☌	✱				⚼	
12	8 30	4 30	1 19	20 48	21 14	5 25	13 49	19 38	∠	✱					△		
13	8 14	5 25	1 57	21 00	21 21	5 23	13 48	19 37	⊻	∠		∠	✱	☌	⚼		
14	7 52	6 21	2 35	21 12	21 28	5 20	13 46	19 37		⊻	⊻	⊻	∠				⚼
15	7 25	7 17	3 13	21 24	21 35	5 18	13 44	19 36			∠		⊻	⊻		☍	△
16	6 53	8 14	3 51	21 36	21 42	5 16	13 43	19 36	☌			☌			☍		
17	6 16	9 11	4 29	21 48	21 49	5 13	13 41	19 35		☌	✱			∠			
18	5 34	10 09	5 07	22 00	21 56	5 11	13 40	19 35	⊻				☌	✱		⚼	□
19	4 48	11 07	5 45	22 13	22 03	5 09	13 38	19 35	∠	⊻	□	⊻				△	
20	4 00	12 05	6 23	22 25	22 10	5 06	13 36	19 34		∠		∠	⊻	□	⚼		✱
21	3 08	13 04	7 02	22 37	22 17	5 04	13 35	19 34	✱	✱		✱	∠		△		∠
22	2 16	14 03	7 40	22 50	22 23	5 01	13 33	19 34			△		✱	△		□	⊻
23	1 22	15 03	8 18	23 02	22 30	4 59	13 32	19 33	□	□	⚼	□		⚼	□		
24	0♍29	16 03	8 56	23 14	22 37	4 57	13 30	19 33								✱	☌
25	29♌38	17 03	9 34	23 27	22 43	4 54	13 29	19 33	△	△			□		✱	∠	
26	28 49	18 04	10 12	23 39	22 50	4 52	13 27	19 33	⚼	⚼	☍	△			∠	⊻	⊻
27	28 04	19 05	10 51	23 52	22 56	4 50	13 26	19 33				⚼	△	☍	⊻		∠
28	27 24	20 06	11 29	24 05	23 03	4 47	13 24	19 33					⚼			☌	✱
29	26 50	21 08	12 07	24 17	23 09	4 45	13 23	19 33		☍					☌		
30	26 22	22 10	12 45	24 30	23 16	4 42	13 21	19 33	☍		⚼	☍		⚼		⊻	□
31	26♌02	23♋12	13♍24	24♍42	23♋22	4♓40	13♒20	19♐33			△		☍	△		∠	

D M	Saturn Lat.	Saturn Dec.	Uranus Lat.	Uranus Dec.	Neptune Lat.	Neptune Dec.	Pluto Lat.	Pluto Dec.
	° ′	° ′	° ′	° ′	° ′	° ′	° ′	° ′
1	0S14	21N44	0S48	10S07	0S04	16S39	8N44	14S21
3	0 14	21 42	0 48	10 09	0 04	16 40	8 43	14 21
5	0 14	21 40	0 48	10 10	0 04	16 41	8 42	14 22
7	0 14	21 38	0 48	10 12	0 04	16 42	8 42	14 22
9	0 13	21 36	0 48	10 14	0 04	16 43	8 41	14 23
11	0 13	21 34	0 48	10 15	0 04	16 44	8 40	14 23
13	0 13	21 32	0 48	10 17	0 04	16 45	8 40	14 24
15	0 13	21 30	0 48	10 19	0 04	16 46	8 39	14 25
17	0 13	21 28	0 48	10 21	0 04	16 47	8 38	14 25
19	0 13	21 26	0 48	10 22	0 04	16 48	8 37	14 26
21	0 12	21 24	0 48	10 24	0 04	16 49	8 37	14 27
23	0 12	21 22	0 48	10 26	0 04	16 50	8 36	14 27
25	0 12	21 20	0 48	10 28	0 04	16 51	8 35	14 28
27	0 12	21 18	0 48	10 29	0 04	16 52	8 35	14 29
29	0 12	21 16	0 48	10 31	0 04	16 53	8 34	14 29
31	0S12	21N14	0S48	10S33	0S04	16S53	8N33	14S30

Mutual Aspects

1 ☿☍♅.
2 ♂∦♇.
4 ☉∠♀. ♂⊥♄.
5 ☉⊥♃. ☉∦♆.
6 ☉☍♆. ♀⚼♆. ♃□♇.
7 ♄⚼♅.
8 ♃±♆. ☿∥♃.
10 ☿Stat. 12 ☉△♇.
13 ☉⊻♃. ☉⊻♄. ♀△♅. ☉∦♇.
14 ☿∥♃.
15 ☿✱♀. ♀±♆.
16 ☿∠♄. 17 ♃✱♄.
18 ☿☌♂. ♀Q♃. ♂☍♅.
19 ☿☍♅. ♂∦♅.
20 ☉⊥♄. 21 ♂∠♄.
22 ♀∇♆.
23 ☉☌☿.
24 ☿∠♀.
25 ☉∦♅.
26 ☿⊥♄.
27 ☉☍♅. ♀∇♇. ☿∥♂.
28 ♀⚼♅. ☉∥☿.
29 ☿⊥♀. 30 ♇Stat.
31 ☉∠♄. ♀☌♄. ♂∇♆. ☿∦♅.

LAST QUARTER–Aug. 7,22h.01m. (15°♉42′)

NEW MOON–Sep.14,14h.29m. (22°♍06′)

D M	D W	Sidereal Time	☉ Long.	☉ Dec.	☽ Long.	☽ Lat.	☽ Dec.	☽ Node	24h. ☽ Long.	24h. ☽ Dec.
		h m s	° ′ ″	° ′	° ′ ″	° ′	° ′	° ′	° ′ ″	° ′
1	W	10 43 57	9 ♍ 22 42	8 N03	10 ♈ 16 15	2 S01	2 N13	4 ♉ 46	16 ♈ 54 02	5 N18
2	Th	10 47 54	10 20 46	7 41	23 25 48	0 S53	8 17	4 42	29 51 43	11 08
3	F	10 51 51	11 18 52	7 19	6 ♉ 12 08	0 N15	13 50	4 39	12 ♉ 27 27	16 21
4	S	10 55 47	12 17 01	6 57	18 38 10	1 21	18 41	4 36	24 44 50	20 47
5	Su	10 59 44	13 15 11	6 35	0 ♊ 48 02	2 22	22 38	4 33	6 ♊ 48 25	24 15
6	M	11 03 40	14 13 23	6 13	12 46 36	3 16	25 34	4 30	18 43 14	26 37
7	T	11 07 37	15 11 37	5 50	24 38 57	4 01	27 21	4 26	0 ♋ 34 25	27 46
8	W	11 11 33	16 09 53	5 28	6 ♋ 30 11	4 35	27 52	4 23	12 26 52	27 38
9	Th	11 15 30	17 08 11	5 05	18 24 59	4 58	27 06	4 20	24 25 03	26 14
10	F	11 19 26	18 06 31	4 42	0 ♌ 27 28	5 08	25 04	4 17	6 ♌ 32 39	23 36
11	S	11 23 23	19 04 54	4 19	12 40 54	5 04	21 51	4 14	18 52 30	19 51
12	Su	11 27 20	20 03 18	3 56	25 07 38	4 46	17 38	4 11	1 ♍ 26 26	15 11
13	M	11 31 16	21 01 44	3 33	7 ♍ 48 57	4 13	12 33	4 07	14 15 11	9 45
14	T	11 35 13	22 00 12	3 10	20 45 06	3 27	6 50	4 04	27 18 35	3 N49
15	W	11 39 09	22 58 42	2 47	3 ♎ 55 30	2 29	0 N43	4 01	10 ♎ 35 42	2 S25
16	Th	11 43 06	23 57 13	2 24	17 18 58	1 22	5 S32	3 58	24 05 09	8 38
17	F	11 47 02	24 55 47	2 01	0 ♏ 54 01	0 N09	11 39	3 55	7 ♏ 45 24	14 33
18	S	11 50 59	25 54 22	1 38	14 39 07	1 S06	17 17	3 51	21 35 01	19 48
19	Su	11 54 55	26 52 59	1 14	28 32 56	2 17	22 04	3 48	5 ♐ 32 44	24 01
20	M	11 58 52	27 51 37	0 51	12 ♐ 34 15	3 21	25 38	3 45	19 37 21	26 50
21	T	12 02 49	28 50 18	0 28	26 41 51	4 13	27 37	3 42	3 ♑ 47 33	27 57
22	W	12 06 45	29 ♍ 49 00	0 N04	10 ♑ 54 12	4 50	27 49	3 39	18 01 31	27 13
23	Th	12 10 42	0 ♎ 47 44	0 S19	25 09 12	5 10	26 11	3 36	2 ♒ 16 50	24 43
24	F	12 14 38	1 46 29	0 42	9 ♒ 24 00	5 10	22 53	3 32	16 30 14	20 42
25	S	12 18 35	2 45 16	1 06	23 35 02	4 51	18 14	3 29	0 ♓ 37 53	15 32
26	Su	12 22 31	3 44 05	1 29	7 ♓ 38 16	4 15	12 39	3 26	14 35 42	9 38
27	M	12 26 28	4 42 55	1 52	21 29 41	3 25	6 30	3 23	28 19 51	3 S20
28	T	12 30 24	5 41 48	2 16	5 ♈ 05 48	2 23	0 S10	3 20	11 ♈ 47 19	2 N59
29	W	12 34 21	6 40 42	2 39	18 24 10	1 15	6 N03	3 17	24 56 17	9 02
30	Th	12 38 18	7 ♎ 39 39	3 S02	1 ♉ 23 39	0 S04	11 N53	3 ♉ 13	7 ♉ 46 21	14 N35

D M	Mercury Lat.	Mercury Dec.		Venus Lat.	Venus Dec.		Mars Lat.	Mars Dec.		Jupiter Lat.	Jupiter Dec.
	° ′	° ′	° ′	° ′	° ′	° ′	° ′	° ′	° ′	° ′	° ′
1	2 S05	10 N57	11 N17	2 S04	19 N14	19 N07	1 N02	7 N14	6 N59	1 N05	3 N01
3	1 27	11 33	11 46	1 55	19 00	18 53	1 01	6 44	6 29	1 05	2 50
5	0 50	11 56	12 03	1 45	18 45	18 37	1 00	6 13	5 58	1 05	2 40
7	0 S16	12 05	12 04	1 35	18 28	18 19	1 00	5 43	5 28	1 05	2 30
9	0 N15	12 00	11 51	1 26	18 09	17 58	0 59	5 12	4 57	1 05	2 20
11	0 42	11 39	11 23	1 16	17 48	17 36	0 59	4 42	4 26	1 05	2 10
13	1 04	11 04	10 41	1 07	17 24	17 12	0 58	4 11	3 55	1 05	1 59
15	1 22	10 15	9 47	0 58	16 59	16 46	0 58	3 40	3 24	1 05	1 49
17	1 35	9 15	8 42	0 49	16 32	16 18	0 57	3 09	2 53	1 05	1 39
19	1 44	8 06	7 28	0 40	16 03	15 48	0 56	2 38	2 22	1 05	1 29
21	1 49	6 48	6 07	0 31	15 33	15 16	0 56	2 06	1 51	1 05	1 18
23	1 51	5 24	4 40	0 22	15 00	14 43	0 55	1 35	1 19	1 05	1 08
25	1 50	3 56	3 11	0 13	14 26	14 08	0 55	1 04	0 48	1 05	0 58
27	1 46	2 25	1 39	0 S05	13 49	13 31	0 54	0 32	0 N17	1 05	0 47
29	1 40	0 N52	0 N06	0 N03	13 12	12 N52	0 53	0 N01	0 S15	1 05	0 37
31	1 N32	0 S41		0 N11	12 N32		0 N53	0 S31		1 N05	0 N27

FIRST QUARTER–Sep.21,15h.54m. (29°♐00′)

D M	☿ Long.	♀ Long.	♂ Long.	♃ Long.	♄ Long.	♅ Long.	♆ Long.	♇ Long.	☉	☿	♀	♂	♃	♄	♅	♆	♇
	° ′	° ′	° ′	° ′	° ′	° ′	° ′	° ′									
1	25♌49	24♋15	14♍02	24♍55	23♋28	4♓38	13♒18	19♐33		⚼					⚺	⚹	
2	25R 44	25 18	14 40	25 08	23 34	4R 35	13R 17	19D 33	⚼	△	□			□	∠		△
3	25D 48	26 21	15 18	25 21	23 40	4 33	13 16	19 33	△			⚼	⚼		⚹		⚼
4	26 01	27 25	15 57	25 33	23 46	4 30	13 14	19 33				△		⚹		□	
5	26 22	28 28	16 35	25 46	23 52	4 28	13 13	19 33		□	⚹		△		□		
6	26 52	29♋33	17 13	25 59	23 58	4 26	13 12	19 33	□		∠	□		∠		△	
7	27 30	0♌37	17 52	26 12	24 04	4 23	13 10	19 33		⚹			□	⚺		⚼	☍
8	28 16	1 41	18 30	26 25	24 10	4 21	13 09	19 34			⚺				△		
9	29♌10	2 46	19 09	26 37	24 16	4 19	13 08	19 34	⚹	∠		⚹		☌	⚼		
10	0♍12	3 51	19 47	26 50	24 21	4 16	13 06	19 34	∠	⚺	☌	∠	⚹				⚼
11	1 20	4 57	20 25	27 03	24 27	4 14	13 05	19 35					∠			☍	
12	2 35	6 02	21 04	27 16	24 33	4 12	13 04	19 35	⚺			⚺	⚺	⚺			△
13	3 56	7 08	21 42	27 29	24 38	4 10	13 03	19 36		☌	⚺			∠	☍		
14	5 22	8 14	22 21	27 42	24 43	4 07	13 01	19 36	☌		∠	☌		⚹			□
15	6 52	9 20	22 59	27 55	24 49	4 05	13 00	19 37		⚺	⚹		☌			⚼	
16	8 27	10 27	23 38	28 08	24 54	4 03	12 59	19 37				⚺			⚼	△	⚹
17	10 05	11 34	24 17	28 21	24 59	4 01	12 58	19 38	⚺	∠			⚺	□	△		∠
18	11 46	12 40	24 55	28 34	25 04	3 59	12 57	19 38	∠	⚹	□	∠	∠			□	⚺
19	13 30	13 47	25 34	28 47	25 09	3 56	12 56	19 39	⚹			⚹	⚹	△	□		
20	15 15	14 55	26 12	29 00	25 14	3 54	12 55	19 39		□	△			⚼		⚹	
21	17 03	16 02	26 51	29 13	25 19	3 52	12 54	19 40	□		⚼	□	□			∠	☌
22	18 51	17 10	27 30	29 26	25 24	3 50	12 53	19 41							⚹	⚺	
23	20 40	18 17	28 08	29 39	25 29	3 48	12 52	19 42	△	△		△	△	☍	∠		⚺
24	22 30	19 25	28 47	29♍52	25 33	3 46	12 51	19 42		⚼		⚼	⚼		⚺	☌	∠
25	24 20	20 33	29♍26	0♎05	25 38	3 44	12 50	19 43	⚼		☍						⚹
26	26 10	21 42	0♎04	0 18	25 42	3 42	12 49	19 44						⚼	☌	⚺	
27	28 00	22 50	0 43	0 31	25 46	3 40	12 48	19 45						△		∠	□
28	29♍50	23 59	1 22	0 44	25 51	3 38	12 47	19 46	☍	☍	⚼	☍	☍		⚺		
29	1♎39	25 08	2 01	0 56	25 55	3 36	12 47	19 47							∠	⚹	△
30	3♎28	26♌17	2♎40	1♎09	25♋59	3♓34	12♒46	19♐48			△			□	⚹		⚼

D M	Saturn Lat.	Saturn Dec.	Uranus Lat.	Uranus Dec.	Neptune Lat.	Neptune Dec.	Pluto Lat.	Pluto Dec.
	° ′	° ′	° ′	° ′	° ′	° ′	° ′	° ′
1	0S12	21N13	0S48	10S34	0S04	16S54	8N33	14S31
3	0 11	21 11	0 48	10 35	0 04	16 55	8 32	14 31
5	0 11	21 09	0 48	10 37	0 04	16 55	8 31	14 32
7	0 11	21 07	0 48	10 39	0 04	16 56	8 30	14 33
9	0 11	21 05	0 48	10 41	0 05	16 57	8 30	14 34
11	0 11	21 03	0 48	10 42	0 05	16 58	8 29	14 35
13	0 11	21 01	0 48	10 44	0 05	16 58	8 28	14 35
15	0 11	21 00	0 48	10 45	0 05	16 59	8 27	14 36
17	0 10	20 58	0 48	10 47	0 05	17 00	8 27	14 37
19	0 10	20 56	0 48	10 49	0 05	17 00	8 26	14 38
21	0 10	20 55	0 48	10 50	0 05	17 01	8 25	14 39
23	0 10	20 53	0 48	10 52	0 05	17 02	8 24	14 39
25	0 10	20 51	0 48	10 53	0 05	17 02	8 24	14 40
27	0 10	20 50	0 48	10 54	0 05	17 03	8 23	14 41
29	0 09	20 49	0 48	10 56	0 05	17 03	8 22	14 42
31	0S09	20N47	0S48	10S57	0S05	17S04	8N21	14S43

Mutual Aspects

2 ☿⚺♀. ♀⚹♃. ♀±♇. ☿Stat.
3 ☉∠♀.
5 ☉▽♆. ♀±♅.
8 ☉∥♂.
9 ♂±♆.
10 ☿⊥♄. ♀▽♅. ♂□♇.
11 ☉±♆. ♀⚼♇.
12 ☉□♇. ♀∠♂.
13 ☿☍♅.
14 ☿#♅.
15 ☉☌♂. ♃⚼♆. ♀#♆.
17 ☉⚹♄. ☿∠♄.
18 ♀☍♆. ♂⚹♄. ☉∥♃.
19 ☿⚺♀. ☿▽♆. ♀∠♃.
20 ☉⚼♆.
21 ☉☌♃.
22 ☿±♆. ☿□♇.
23 ♂⚼♆.
24 ♀△♇. ♀#♇.
25 ☉#♂. ☉#♃.
26 ☉▽♅. ☿⚹♄. ♂∥♃.
27 ☿⚼♆. ♂☌♃. ♄±♇. ☉#☿.
28 ☿⊥♀.
29 ☿☌♂. ☿☌♃. ♀⊥♃. ☿∥♃.
30 ☉Q♄. ☉Q♇. ☿▽♅. ♀⚺♄. ☿#♂.

NEW MOON – Oct.14,02h.48m. (21°♎06′)

D M	D W	Sidereal Time	☉ Long.	☉ Dec.	☽ Long.	☽ Lat.	☽ Dec.	☽ Node	24h. ☽ Long.	24h. ☽ Dec.
		h m s	° ′ ″	° ′	° ′ ″	° ′	° ′	° ′	° ′ ″	° ′
1	F	12 42 14	8 ♎ 38 37	3 S 26	14 ♉ 04 33	1 N05	17 N06	3 ♉ 10	20 ♉ 18 30	19 N24
2	S	12 46 11	9 37 38	3 49	26 28 31	2 10	21 28	3 07	2 ♊ 35 00	23 17
3	Su	12 50 07	10 36 42	4 12	8 ♊ 38 23	3 07	24 50	3 04	14 39 09	26 05
4	M	12 54 04	11 35 47	4 35	20 37 50	3 56	27 02	3 01	26 35 00	27 40
5	T	12 58 00	12 34 55	4 58	2 ♋ 31 13	4 34	27 59	2 57	8 ♋ 27 04	27 58
6	W	13 01 57	13 34 05	5 21	14 23 12	5 00	27 38	2 54	20 20 10	26 59
7	Th	13 05 53	14 33 18	5 44	26 18 36	5 14	26 01	2 51	2 ♌ 19 03	24 46
8	F	13 09 50	15 32 32	6 07	8 ♌ 22 04	5 14	23 13	2 48	14 28 10	21 24
9	S	13 13 47	16 31 49	6 30	20 37 50	5 00	19 21	2 45	26 51 28	17 03
10	Su	13 17 43	17 31 08	6 53	3 ♍ 09 25	4 31	14 33	2 42	9 ♍ 31 59	11 52
11	M	13 21 40	18 30 30	7 15	15 59 21	3 48	9 02	2 38	22 31 39	6 N03
12	T	13 25 36	19 29 53	7 38	29 08 54	2 52	2 N58	2 35	5 ♎ 51 02	0 S11
13	W	13 29 33	20 29 19	8 00	12 ♎ 37 55	1 46	3 S22	2 32	19 29 16	6 33
14	Th	13 33 29	21 28 47	8 23	26 24 46	0 N32	9 42	2 29	3 ♏ 24 02	12 46
15	F	13 37 26	22 28 17	8 45	10 ♏ 26 35	0 S46	15 41	2 26	17 31 55	18 25
16	S	13 41 22	23 27 49	9 07	24 39 30	2 02	20 54	2 23	1 ♐ 48 45	23 06
17	Su	13 45 19	24 27 22	9 29	8 ♐ 59 09	3 10	24 56	2 19	16 10 08	26 23
18	M	13 49 16	25 26 58	9 51	23 21 11	4 07	27 23	2 16	0 ♑ 31 52	27 56
19	T	13 53 12	26 26 35	10 12	7 ♑ 41 42	4 49	28 01	2 13	14 50 19	27 38
20	W	13 57 09	27 26 14	10 34	21 57 22	5 12	26 47	2 10	29 02 34	25 31
21	Th	14 01 05	28 25 55	10 55	6 ♒ 05 39	5 16	23 51	2 07	13 ♒ 06 23	21 51
22	F	14 05 02	29 ♎ 25 37	11 16	20 04 36	5 02	19 33	2 03	27 00 08	17 01
23	S	14 08 58	0 ♏ 25 21	11 37	3 ♓ 52 50	4 30	14 16	2 00	10 ♓ 42 34	11 23
24	Su	14 12 55	1 25 07	11 58	17 29 14	3 43	8 22	1 57	24 12 43	5 S17
25	M	14 16 51	2 24 54	12 19	0 ♈ 52 58	2 45	2 S10	1 54	7 ♈ 29 51	0 N57
26	T	14 20 48	3 24 44	12 39	14 03 22	1 39	4 N02	1 51	20 33 25	7 03
27	W	14 24 45	4 24 35	12 59	27 00 02	0 S29	9 58	1 48	3 ♉ 23 10	12 45
28	Th	14 28 41	5 24 28	13 20	9 ♉ 42 54	0 N42	15 23	1 44	15 59 16	17 50
29	F	14 32 38	6 24 23	13 39	22 12 23	1 49	20 05	1 41	28 22 25	22 05
30	S	14 36 34	7 24 20	13 59	4 ♊ 29 31	2 50	23 49	1 38	10 ♊ 33 57	25 17
31	Su	14 40 31	8 ♏ 24 19	14 S18	16 ♊ 35 58	3 N42	26 N27	1 ♉ 35	22 ♊ 35 55	27 N18

D M	Mercury Lat.	Mercury Dec.		Venus Lat.	Venus Dec.		Mars Lat.	Mars Dec.		Jupiter Lat.	Jupiter Dec.
	° ′	° ′	° ′	° ′	° ′	° ′	° ′	° ′	° ′	° ′	° ′
1	1 N32	0 S41	1 S 28	0 N 11	12 N32	12 N12	0 N 53	0 S31	0 S 46	1 N 05	0 N27
3	1 23	2 14	3 01	0 18	11 51	11 30	0 52	1 02	1 18	1 05	0 17
5	1 12	3 47	4 33	0 26	11 09	10 47	0 51	1 33	1 49	1 05	0 N07
7	1 01	5 18	6 03	0 33	10 25	10 02	0 51	2 05	2 21	1 05	0 S04
9	0 49	6 48	7 32	0 40	9 39	9 16	0 50	2 36	2 52	1 05	0 14
11	0 36	8 16	8 59	0 46	8 53	8 29	0 49	3 08	3 23	1 06	0 24
13	0 22	9 41	10 23	0 53	8 05	7 41	0 49	3 39	3 55	1 06	0 34
15	0 N09	11 04	11 45	0 59	7 16	6 51	0 48	4 10	4 26	1 06	0 44
17	0 S05	12 25	13 04	1 04	6 26	6 01	0 47	4 41	4 57	1 06	0 53
19	0 18	13 42	14 20	1 10	5 35	5 10	0 46	5 12	5 28	1 06	1 03
21	0 32	14 57	15 33	1 15	4 44	4 17	0 46	5 43	5 59	1 06	1 13
23	0 46	16 08	16 43	1 19	3 51	3 25	0 45	6 14	6 30	1 06	1 23
25	0 59	17 17	17 49	1 23	2 58	2 31	0 44	6 45	7 00	1 07	1 32
27	1 12	18 21	18 52	1 27	2 04	1 37	0 43	7 15	7 31	1 07	1 42
29	1 24	19 22	19 S 52	1 31	1 10	0 N43	0 42	7 46	8 S 01	1 07	1 51
31	1 S36	20 S20		1 N 34	0 N15		0 N 42	8 S16		1 N 07	2 S01

FIRST QUARTER – Oct.20,21h.59m. (27°♑51′)

FULL MOON–Oct.28,03h.07m. (5°♉02′)

D M	☿ Long.	♀ Long.	♂ Long.	♃ Long.	♄ Long.	♅ Long.	Ψ Long.	♇ Long.	☉	☿	♀	♂	♃	♄	♅	Ψ	♇
	° ′	° ′	° ′	° ′	° ′	° ′	° ′	° ′									
1	5♎16	27♌26	3♎18	1♎22	26♋03	3♓33	12♒45	19♐49				⚼	⚼			□	
2	7 04	28 35	3 57	1 35	26 07	3R 31	12R 44	19 50	⚼	⚼	□		△	⚹			
3	8 51	29♌45	4 36	1 48	26 11	3 29	12 44	19 51	△	△		△		∠	□	△	
4	10 37	0♍54	5 15	2 01	26 14	3 27	12 43	19 52						⊻			☍
5	12 23	2 04	5 54	2 14	26 18	3 26	12 42	19 53			⚹	□	□		△	⚼	
6	14 07	3 14	6 33	2 27	26 22	3 24	12 42	19 54	□	□	∠				⚼		
7	15 51	4 24	7 12	2 40	26 25	3 22	12 41	19 55						☌			
8	17 34	5 34	7 51	2 52	26 28	3 21	12 41	19 57			⊻	⚹	⚹			☍	⚼
9	19 17	6 44	8 30	3 05	26 32	3 19	12 40	19 58	⚹	⚹		∠	∠	⊻			△
10	20 58	7 55	9 09	3 18	26 35	3 18	12 40	19 59	∠	∠	☌	⊻	⊻		☍		
11	22 39	9 05	9 48	3 31	26 38	3 16	12 39	20 00	⊻					∠			□
12	24 19	10 16	10 27	3 44	26 41	3 15	12 39	20 02		⊻			☌	⚹		⚼	
13	25 59	11 27	11 06	3 56	26 44	3 13	12 38	20 03			⊻	☌			⚼	△	
14	27 38	12 38	11 45	4 09	26 47	3 12	12 38	20 04	☌	☌	∠			□	△		⚹
15	29♎16	13 49	12 25	4 22	26 49	3 11	12 38	20 06			⚹	⊻	⊻			□	∠
16	0♏53	15 00	13 04	4 34	26 52	3 09	12 37	20 07	⊻	⊻		∠	∠	△			⊻
17	2 30	16 11	13 43	4 47	26 54	3 08	12 37	20 09	∠			⚹	⚹	⚼	□	⚹	
18	4 06	17 23	14 22	5 00	26 57	3 07	12 37	20 10	⚹	∠	□					∠	☌
19	5 41	18 34	15 01	5 12	26 59	3 06	12 37	20 12		⚹			□		⚹	⊻	
20	7 16	19 46	15 41	5 25	27 01	3 05	12 37	20 13	□		△	□		☍	∠		⊻
21	8 50	20 57	16 20	5 37	27 03	3 04	12 37	20 15		□	⚼		△		⊻	☌	∠
22	10 23	22 09	16 59	5 49	27 05	3 03	12 36	20 16				△	⚼				⚹
23	11 57	23 21	17 39	6 02	27 07	3 02	12 36	20 18	△			⚼			☌		
24	13 29	24 33	18 18	6 14	27 08	3 01	12D 36	20 20	⚼	△				⚼		⊻	□
25	15 01	25 45	18 57	6 26	27 10	3 00	12 36	20 21		⚼	☍		☍	△	⊻	∠	
26	16 32	26 57	19 37	6 39	27 11	2 59	12 36	20 23				☍			∠	⚹	△
27	18 03	28 09	20 16	6 51	27 13	2 58	12 37	20 25						□	⚹		
28	19 33	29♍22	20 56	7 03	27 14	2 57	12 37	20 26	☍		⚼					□	⚼
29	21 03	0♎34	21 35	7 15	27 15	2 57	12 37	20 28		☍			⚼	⚹			
30	22 32	1 47	22 15	7 27	27 16	2 56	12 37	20 30			△	⚼	△		□		
31	24♏01	2♎59	22♎54	7♎39	27♋17	2♓56	12♒37	20♐32						∠		△	☍

D M	Saturn Lat.	Saturn Dec.	Uranus Lat.	Uranus Dec.	Neptune Lat.	Neptune Dec.	Pluto Lat.	Pluto Dec.
	° ′	° ′	° ′	° ′	° ′	° ′	° ′	° ′
1	0S09	20N47	0S48	10S57	0S05	17S04	8N21	14S43
3	0 09	20 46	0 48	10 58	0 05	17 04	8 21	14 44
5	0 09	20 45	0 48	10 59	0 05	17 04	8 20	14 45
7	0 09	20 44	0 48	11 01	0 05	17 05	8 19	14 45
9	0 09	20 42	0 48	11 02	0 05	17 05	8 19	14 46
11	0 09	20 41	0 47	11 03	0 05	17 05	8 18	14 47
13	0 08	20 40	0 47	11 04	0 05	17 06	8 17	14 48
15	0 08	20 40	0 47	11 05	0 05	17 06	8 17	14 49
17	0 08	20 39	0 47	11 05	0 05	17 06	8 16	14 50
19	0 08	20 38	0 47	11 06	0 05	17 06	8 15	14 51
21	0 08	20 37	0 47	11 07	0 05	17 06	8 15	14 51
23	0 08	20 37	0 47	11 08	0 05	17 06	8 14	14 52
25	0 07	20 36	0 47	11 08	0 05	17 06	8 14	14 53
27	0 07	20 36	0 47	11 09	0 05	17 06	8 13	14 54
29	0 07	20 36	0 47	11 09	0 05	17 06	8 13	14 55
31	0S07	20N35	0S47	11S10	0S05	17S06	8N12	14S55

Mutual Aspects

1 ♀⊥♂. ♂⊽♅. ☿∥♂. ☿#♃. ♂#♃.
2 ☉±♅. ☿Q♇.
3 ☿Q♄. ☿±♅.
5 ☉☌☿. ☉△Ψ. ☿△Ψ. ♀⊻♃. ♀⊥♄.
♀#♅.
6 ♀☍♅.
8 ☿⚼♅. ♂Q♇. ☉∥☿.
9 ☿⚹♇. ♂Q♄.
10 ♂±♅. ♃⊽♅.
11 ☉⚼♅.
12 ♀⊻♂. ☿#♀.
13 ☉⚹♇. ☿□♄. ♀∠♄. ☉#♀.
14 ☿∠♀. ♀⊽Ψ.
15 ♂△Ψ. ☿∥♅.
17 ☿△♅.
19 ☿⊻♃. ☿∠♇. ♀±Ψ.
20 ☉□♄. ♀□♇. ♀#♂.
21 ♄±♅. ☿∥♇.
22 ☉∥♅.
23 ☿⊥♃. ☿□Ψ.
24 ♂⚼♅. ΨStat.
25 ☿⊥♇. ☿∥Ψ.
26 ☉△♅. ♀⚹♄.
27 ♀⚼Ψ. ♂⚹♇.
28 ☉⊥♀. ☉∠♇. ♀#♃.
29 ☿⊻♇.
30 ☉⊻♃. ☿⊻♂. ☿∠♃.
31 ♀⊽♅.

LAST QUARTER–Oct. 6,10h.12m. (13°♋30′)

NEW MOON–Nov.12,14h.27m. (20°♏33′)

D M	D W	Sidereal Time h m s	☉ Long. ° ′ ″	☉ Dec. ° ′	☽ Long. ° ′ ″	☽ Lat. ° ′	☽ Dec. ° ′	☽ Node ° ′	24h. ☽ Long. ° ′ ″	24h. ☽ Dec. ° ′
1	M	14 44 27	9 ♏ 24 20	14 S 38	28 ♊ 34 08	4 N24	27 N50	1 ♉ 32	4 ♋ 31 02	28 N02
2	T	14 48 24	10 24 23	14 57	10 ♋ 27 05	4 54	27 55	1 29	16 22 45	27 29
3	W	14 52 20	11 24 28	15 15	22 18 32	5 12	26 43	1 25	28 14 59	25 40
4	Th	14 56 17	12 24 35	15 34	4 ♌ 12 40	5 16	24 19	1 22	10 ♌ 12 09	22 43
5	F	15 00 14	13 24 45	15 52	16 14 01	5 07	20 51	1 19	22 18 52	18 45
6	S	15 04 10	14 24 56	16 10	28 27 16	4 44	16 26	1 16	4 ♍ 39 46	13 56
7	Su	15 08 07	15 25 10	16 28	10 ♍ 56 54	4 07	11 16	1 13	17 19 08	8 26
8	M	15 12 03	16 25 25	16 45	23 46 52	3 16	5 N29	1 09	0 ♎ 20 27	2 N25
9	T	15 16 00	17 25 42	17 02	7 ♎ 00 07	2 15	0 S43	1 06	13 46 00	3 S54
10	W	15 19 56	18 26 02	17 19	20 38 06	1 N03	7 05	1 03	27 36 17	10 14
11	Th	15 23 53	19 26 23	17 35	4 ♏ 40 15	0 S14	13 18	1 00	11 ♏ 49 35	16 14
12	F	15 27 49	20 26 46	17 52	19 03 41	1 32	18 58	0 57	26 21 52	21 26
13	S	15 31 46	21 27 11	18 08	3 ♐ 43 15	2 45	23 36	0 54	11 ♐ 06 57	25 23
14	Su	15 35 43	22 27 37	18 23	18 31 58	3 48	26 44	0 50	25 57 18	27 37
15	M	15 39 39	23 28 05	18 38	3 ♑ 21 59	4 36	28 00	0 47	10 ♑ 45 04	27 52
16	T	15 43 36	24 28 34	18 53	18 05 44	5 05	27 15	0 44	25 23 14	26 10
17	W	15 47 32	25 29 05	19 08	2 ♒ 37 00	5 14	24 40	0 41	9 ♒ 46 33	22 48
18	Th	15 51 29	26 29 37	19 22	16 51 34	5 04	20 36	0 38	23 51 51	18 09
19	F	15 55 25	27 30 10	19 36	0 ♓ 47 19	4 35	15 29	0 35	7 ♓ 37 59	12 39
20	S	15 59 22	28 30 44	19 50	14 23 58	3 52	9 42	0 31	21 05 24	6 41
21	Su	16 03 18	29 ♏ 31 19	20 03	27 42 31	2 57	3 S37	0 28	4 ♈ 15 33	0 S33
22	M	16 07 15	0 ♐ 31 55	20 16	10 ♈ 44 44	1 54	2 N30	0 25	17 10 20	5 N30
23	T	16 11 12	1 32 33	20 28	23 32 36	0 S46	8 26	0 22	29 51 45	11 15
24	W	16 15 08	2 33 12	20 40	6 ♉ 08 02	0 N23	13 55	0 19	12 ♉ 21 38	16 27
25	Th	16 19 05	3 33 52	20 52	18 32 44	1 29	18 47	0 15	24 41 32	20 54
26	F	16 23 01	4 34 33	21 03	0 ♊ 48 09	2 31	22 47	0 12	6 ♊ 52 46	24 24
27	S	16 26 58	5 35 16	21 14	12 55 32	3 25	25 44	0 09	18 56 36	26 46
28	Su	16 30 54	6 36 00	21 25	24 56 10	4 09	27 29	0 06	0 ♋ 54 25	27 53
29	M	16 34 51	7 36 46	21 35	6 ♋ 51 34	4 42	27 57	0 03	12 47 53	27 42
30	T	16 38 47	8 ♐ 37 33	21 S 45	18 ♋ 43 37	5 N02	27 N07	0 ♉ 00	24 ♋ 39 08	26 N14

D M	Mercury Lat. ° ′	Mercury Dec. ° ′	Mercury Dec. ° ′	Venus Lat. ° ′	Venus Dec. ° ′	Venus Dec. ° ′	Mars Lat. ° ′	Mars Dec. ° ′	Mars Dec. ° ′	Jupiter Lat. ° ′	Jupiter Dec. ° ′
1	1 S 42	20 S 47	21 S 13	1 N 36	0 S 12	0 S 40	0 N 41	8 S 31	8 S 46	1 N 07	2 S 05
3	1 53	21 38	22 02	1 39	1 07	1 35	0 40	9 01	9 16	1 08	2 14
5	2 03	22 25	22 47	1 41	2 03	2 30	0 39	9 30	9 45	1 08	2 23
7	2 12	23 07	23 27	1 43	2 58	3 26	0 39	10 00	10 14	1 08	2 32
9	2 20	23 45	24 02	1 45	3 53	4 21	0 38	10 29	10 43	1 08	2 41
11	2 26	24 18	24 32	1 46	4 49	5 16	0 37	10 58	11 12	1 08	2 50
13	2 31	24 46	24 57	1 47	5 44	6 11	0 36	11 27	11 41	1 09	2 59
15	2 35	25 08	25 17	1 48	6 39	7 06	0 35	11 55	12 09	1 09	3 07
17	2 36	25 25	25 31	1 48	7 33	8 00	0 34	12 23	12 37	1 09	3 15
19	2 35	25 36	25 39	1 48	8 27	8 53	0 33	12 51	13 04	1 10	3 24
21	2 31	25 41	25 41	1 48	9 20	9 46	0 32	13 18	13 31	1 10	3 32
23	2 24	25 40	25 37	1 47	10 12	10 38	0 31	13 45	13 58	1 10	3 40
25	2 13	25 33	25 27	1 46	11 04	11 29	0 30	14 12	14 25	1 10	3 47
27	1 57	25 20	25 11	1 45	11 54	12 19	0 29	14 38	14 51	1 11	3 55
29	1 36	25 00	24 S 47	1 43	12 44	13 S 08	0 28	15 04	15 S 16	1 11	4 02
31	1 S 09	24 S 33		1 N 41	13 S 33		0 N 27	15 S 29		1 N 11	4 S 10

FIRST QUARTER–Nov.19,05h.50m. (27°♒15′)

FULL MOON–Nov.26,20h.07m. (4°♊55′)

EPHEMERIS] NOVEMBER 2004

D M	☿ Long.	♀ Long.	♂ Long.	♃ Long.	♄ Long.	♅ Long.	♆ Long.	♇ Long.
	° ′	° ′	° ′	° ′	° ′	° ′	° ′	° ′
1	25♏29	4♎12	23♎34	7♎51	27♋18	2♓55	12♒38	20♐33
2	26 57	5 25	24 14	8 03	27 19	2R 55	12 38	20 35
3	28 24	6 38	24 53	8 15	27 19	2 54	12 38	20 37
4	29♏50	7 51	25 33	8 27	27 20	2 54	12 38	20 39
5	1♐16	9 04	26 13	8 39	27 20	2 53	12 39	20 41
6	2 41	10 17	26 52	8 50	27 20	2 53	12 39	20 43
7	4 06	11 30	27 32	9 02	27 21	2 53	12 40	20 45
8	5 29	12 43	28 12	9 14	27R 21	2 53	12 40	20 47
9	6 52	13 57	28 52	9 25	27 21	2 52	12 41	20 48
10	8 14	15 10	29♎31	9 37	27 20	2 52	12 41	20 50
11	9 35	16 24	0♏11	9 48	27 20	2 52	12 42	20 52
12	10 55	17 37	0 51	9 59	27 20	2D 52	12 43	20 54
13	12 13	18 51	1 31	10 11	27 19	2 52	12 43	20 56
14	13 30	20 04	2 11	10 22	27 18	2 53	12 44	20 59
15	14 46	21 18	2 51	10 33	27 18	2 53	12 45	21 01
16	16 00	22 32	3 31	10 44	27 17	2 53	12 45	21 03
17	17 12	23 46	4 11	10 55	27 16	2 53	12 46	21 05
18	18 22	24 59	4 51	11 06	27 15	2 53	12 47	21 07
19	19 29	26 13	5 31	11 16	27 14	2 54	12 48	21 09
20	20 33	27 27	6 11	11 27	27 12	2 54	12 49	21 11
21	21 34	28 41	6 51	11 38	27 11	2 55	12 50	21 13
22	22 31	29♎55	7 32	11 48	27 09	2 55	12 51	21 15
23	23 24	1♏09	8 12	11 59	27 08	2 56	12 52	21 17
24	24 13	2 24	8 52	12 09	27 06	2 56	12 53	21 20
25	24 56	3 38	9 32	12 19	27 04	2 57	12 54	21 22
26	25 33	4 52	10 12	12 30	27 02	2 58	12 55	21 24
27	26 03	6 06	10 53	12 40	27 00	2 59	12 56	21 26
28	26 25	7 20	11 33	12 50	26 58	3 00	12 57	21 28
29	26 40	8 35	12 13	13 00	26 56	3 00	12 58	21 31
30	26♐45	9♏49	12♏54	13♎09	26♋53	3♓01	12♒59	21♐33

Lunar Aspects

D M	☉	☿	♀	♂	♃	♄	♅	♆	♇
1	⚼			△		⚺	△	⚼	
2	△	⚼	□		□				
3				□		☌	⚼		
4		△	⚹		⚹				⚼
5	□							☍	△
6		□	∠	⚹	∠	⚺	☍		
7	⚹		⚺	∠	⚺	∠			
8				⚺		⚹		⚼	□
9	∠	⚹			•			△	
10	⚺	∠	•			□	⚼		⚹
11		⚺		•	⚺		△		∠
12	☌		⚺		∠			□	⚺
13			∠	⚺	⚹	△	□		
14	⚺	•	⚹	∠		⚼		⚹	☌
15	∠			⚹	□		⚹	∠	
16	⚹	⚺	□				∠	⚺	⚺
17		∠		□		☍	⚺		∠
18		⚹			△			☌	⚹
19	□		△	△	⚼		☌		
20		□	⚼			⚼		⚺	
21	△			⚼		△	⚺	∠	□
22	⚼				☍			⚹	
23		△				□	∠		△
24		⚼	☍	☍			⚹		⚼
25								□	
26	☍				⚼	⚹	□		
27					△	∠		△	
28		☍	⚼	⚼		⚺		⚼	☍
29			△	△			△		
30	⚼				□		⚼		

D M	Saturn Lat.	Saturn Dec.	Uranus Lat.	Uranus Dec.	Neptune Lat.	Neptune Dec.	Pluto Lat.	Pluto Dec.
	° ′	° ′	° ′	° ′	° ′	° ′	° ′	° ′
1	0S07	20N35	0S47	11S10	0S05	17S06	8N12	14S56
3	0 07	20 35	0 47	11 10	0 05	17 06	8 11	14 57
5	0 06	20 35	0 47	11 10	0 05	17 06	8 11	14 57
7	0 06	20 35	0 47	11 10	0 05	17 05	8 10	14 58
9	0 06	20 36	0 47	11 10	0 05	17 05	8 10	14 59
11	0 06	20 36	0 46	11 10	0 05	17 05	8 09	15 00
13	0 06	20 36	0 46	11 10	0 05	17 04	8 09	15 00
15	0 06	20 37	0 46	11 10	0 05	17 04	8 08	15 01
17	0 05	20 37	0 46	11 10	0 05	17 04	8 08	15 02
19	0 05	20 38	0 46	11 10	0 05	17 03	8 07	15 02
21	0 05	20 39	0 46	11 09	0 05	17 03	8 07	15 03
23	0 05	20 39	0 46	11 09	0 05	17 02	8 07	15 04
25	0 05	20 40	0 46	11 08	0 05	17 02	8 06	15 04
27	0 04	20 41	0 46	11 07	0 05	17 01	8 06	15 05
29	0 04	20 42	0 46	11 07	0 05	17 00	8 06	15 05
31	0S04	20N43	0S46	11S06	0S05	17S00	8N05	15S06

Mutual Aspects

1 ☿ # ♄.
2 ☿ △ ♄. ☉ ∥ ♇.
4 ☉ □ ♆.
5 ☿ Q ♆. ♀ ☌ ♃. ♀ Q ♄. ♀ ± ♅. ♀ Q ♇.
♃ Q ♇.
6 ☉ ⊥ ♇. ☿ ⊥ ♂. ☿ □ ♅. ♃ ± ♅. ♀ ∥ ♃.
7 ☉ ⊥ ♃. ♂ □ ♄.
8 ♀ △ ♆. ♄ Stat.
9 ♃ Q ♄. ☉ ∥ ♆.
11 ☿ ⚹ ♃. ♅ Q ♇. ♅ Stat.
12 ☉ ⚺ ♇. ♀ ⚼ ♅. ♂ ∥ ♅.
13 ☿ ⚼ ♄. ☿ ⚹ ♆.
15 ♀ ⚹ ♇. ♂ △ ♅.
18 ☉ ∠ ♃.
19 ☉ △ ♄.
20 ☿ Q ♅. ♀ □ ♄. ♂ ∠ ♇. ♄ ± ♇.
21 ☿ ± ♄. ☿ ☌ ♇.
22 ☉ Q ♆. ☿ ∠ ♂.
24 ☉ □ ♅. ☿ Q ♃. ♀ △ ♅. ☉ # ♄.
25 ☉ ⚺ ♀. ♀ ∥ ♅.
27 ♀ ∠ ♇. ♄ ± ♅.
28 ☿ ∠ ♂.
29 ♃ △ ♆. ♂ ∥ ♇.
30 ♂ □ ♆. ☿ Stat.

LAST QUARTER–Nov. 5,05h.53m. (13°♌09′)

NEW MOON–Dec.12,01h.29m. (20°♐22′)

D M	D W	Sidereal Time	☉ Long.	☉ Dec.	☽ Long.	☽ Lat.	☽ Dec.	☽ Node	24h. ☽ Long.	24h. ☽ Dec.
		h m s	° ′ ″	° ′	° ′ ″	° ′	° ′	° ′	° ′ ″	° ′
1	W	16 42 44	9 ♐ 38 21	21 S 54	0 ♌ 34 46	5 N10	25 N04	29 ♈ 56	6 ♌ 30 55	23 N37
2	Th	16 46 41	10 39 10	22 03	12 28 03	5 04	21 55	29 53	18 26 38	19 59
3	F	16 50 37	11 40 01	22 11	24 27 12	4 45	17 51	29 50	0 ♍ 30 17	15 30
4	S	16 54 34	12 40 54	22 19	6 ♍ 36 28	4 13	13 00	29 47	12 46 20	10 20
5	Su	16 58 30	13 41 47	22 27	19 00 29	3 29	7 33	29 44	25 19 30	4 N39
6	M	17 02 27	14 42 42	22 34	1 ♎ 43 59	2 33	1 N39	29 40	8 ♎ 14 25	1 S25
7	T	17 06 23	15 43 38	22 41	14 51 17	1 28	4 S30	29 37	21 34 57	7 36
8	W	17 10 20	16 44 35	22 47	28 25 42	0 N15	10 41	29 34	5 ♏ 23 38	13 40
9	Th	17 14 16	17 45 34	22 53	12 ♏ 28 43	1 S00	16 32	29 31	19 40 42	19 13
10	F	17 18 13	18 46 34	22 58	26 59 09	2 14	21 40	29 28	4 ♐ 23 24	23 47
11	S	17 22 10	19 47 35	23 03	11 ♐ 52 35	3 21	25 32	29 25	19 25 39	26 50
12	Su	17 26 06	20 48 36	23 07	27 01 22	4 14	27 39	29 21	4 ♑ 38 23	27 56
13	M	17 30 03	21 49 39	23 11	12 ♑ 15 22	4 50	27 41	29 18	19 50 55	26 56
14	T	17 33 59	22 50 42	23 15	27 23 46	5 05	25 40	29 15	4 ♒ 52 45	23 59
15	W	17 37 56	23 51 46	23 18	12 ♒ 16 53	5 00	21 54	29 12	19 35 23	19 31
16	Th	17 41 52	24 52 50	23 21	26 47 42	4 35	16 53	29 09	3 ♓ 53 29	14 03
17	F	17 45 49	25 53 54	23 23	10 ♓ 52 34	3 54	11 05	29 06	17 44 59	8 02
18	S	17 49 45	26 54 59	23 24	24 30 54	3 00	4 S56	29 02	1 ♈ 10 37	1 S50
19	Su	17 53 42	27 56 04	23 25	7 ♈ 44 32	1 59	1 N15	28 59	14 13 04	4 N17
20	M	17 57 39	28 57 09	23 26	20 36 42	0 S53	7 14	28 56	26 55 57	10 05
21	T	18 01 35	29 ♐ 58 14	23 26	3 ♉ 11 17	0 N14	12 48	28 53	9 ♉ 23 13	15 22
22	W	18 05 32	0 ♑ 59 20	23 26	15 32 10	1 19	17 46	28 50	21 38 35	19 57
23	Th	18 09 28	2 00 26	23 26	27 42 50	2 20	21 55	28 46	3 ♊ 45 15	23 39
24	F	18 13 25	3 01 32	23 24	9 ♊ 46 09	3 13	25 06	28 43	15 45 48	26 16
25	S	18 17 21	4 02 39	23 23	21 44 25	3 57	27 08	28 40	27 42 12	27 41
26	Su	18 21 18	5 03 46	23 21	3 ♋ 39 21	4 31	27 54	28 37	9 ♋ 36 00	27 48
27	M	18 25 14	6 04 53	23 18	15 32 19	4 52	27 22	28 34	21 28 28	26 38
28	T	18 29 11	7 06 00	23 15	27 24 38	5 01	25 36	28 31	3 ♌ 20 58	24 17
29	W	18 33 08	8 07 08	23 12	9 ♌ 17 43	4 57	22 42	28 27	15 15 08	20 52
30	Th	18 37 04	9 08 16	23 08	21 13 28	4 40	18 50	28 24	27 13 05	16 36
31	F	18 41 01	10 ♑ 09 24	23 S 03	3 ♍ 14 21	4 N10	14 N12	28 ♈ 21	9 ♍ 17 40	11 N39

D M	Mercury Lat.	Mercury Dec.		Venus Lat.	Venus Dec.		Mars Lat.	Mars Dec.		Jupiter Lat.	Jupiter Dec.
	° ′	° ′	° ′	° ′	° ′	° ′	° ′	° ′	° ′	° ′	° ′
1	1 S 09	24 S 33	24 S 17	1 N 41	13 S 33	13 S 56	0 N 27	15 S 29	15 S 41	1 N 11	4 S 10
3	0 S 37	24 00	23 40	1 39	14 20	14 43	0 26	15 54	16 06	1 12	4 17
5	0 00	23 19	22 57	1 37	15 06	15 28	0 25	16 18	16 30	1 12	4 24
7	0 N40	22 33	22 08	1 34	15 50	16 12	0 24	16 42	16 54	1 13	4 30
9	1 20	21 43	21 17	1 31	16 33	16 54	0 23	17 06	17 18	1 13	4 37
11	1 56	20 53	20 30	1 28	17 14	17 34	0 22	17 29	17 40	1 13	4 43
13	2 25	20 09	19 50	1 24	17 53	18 12	0 21	17 51	18 03	1 14	4 49
15	2 44	19 35	19 23	1 21	18 31	18 49	0 19	18 13	18 24	1 14	4 55
17	2 54	19 14	19 09	1 17	19 06	19 23	0 18	18 35	18 45	1 14	5 01
19	2 56	19 07	19 08	1 13	19 39	19 55	0 17	18 56	19 06	1 15	5 06
21	2 52	19 12	19 18	1 09	20 11	20 25	0 16	19 16	19 26	1 15	5 12
23	2 43	19 26	19 36	1 04	20 40	20 53	0 15	19 35	19 45	1 16	5 17
25	2 30	19 48	20 00	1 00	21 06	21 19	0 14	19 54	20 04	1 16	5 22
27	2 16	20 13	20 27	0 55	21 30	21 41	0 12	20 13	20 22	1 17	5 26
29	2 00	20 41	20 S 56	0 50	21 52	22 S 02	0 11	20 30	20 S 39	1 17	5 30
31	1 N43	21 S 10		0 N 46	22 S 11		0 N 10	20 S 47		1 N 18	5 S 35

FIRST QUARTER–Dec.18,16h.40m. (27°♓07′)

FULL MOON – Dec.26,15h.06m. (5°♋12′)

EPHEMERIS] DECEMBER 2004

D M	☿ Long.	♀ Long.	♂ Long.	♃ Long.	♄ Long.	♅ Long.	♆ Long.	♇ Long.
	° ′	° ′	° ′	° ′	° ′	° ′	° ′	° ′
1	26♐ 40	11♏ 04	13♏ 34	13♎ 19	26♋ 51	3♓ 02	13♒ 01	21♐ 35
2	26R 24	12 18	14 15	13 29	26R 48	3 03	13 02	21 37
3	25 57	13 33	14 55	13 38	26 46	3 04	13 03	21 39
4	25 20	14 47	15 36	13 47	26 43	3 06	13 05	21 42
5	24 31	16 02	16 16	13 57	26 40	3 07	13 06	21 44
6	23 32	17 16	16 57	14 06	26 37	3 08	13 07	21 46
7	22 23	18 31	17 37	14 15	26 34	3 09	13 09	21 48
8	21 08	19 46	18 18	14 24	26 31	3 11	13 10	21 51
9	19 48	21 00	18 59	14 33	26 28	3 12	13 12	21 53
10	18 25	22 15	19 39	14 41	26 24	3 13	13 13	21 55
11	17 02	23 30	20 20	14 50	26 21	3 15	13 15	21 57
12	15 43	24 45	21 01	14 59	26 17	3 16	13 16	22 00
13	14 30	25 59	21 42	15 07	26 14	3 18	13 18	22 02
14	13 24	27 14	22 22	15 15	26 10	3 19	13 19	22 04
15	12 28	28 29	23 03	15 23	26 07	3 21	13 21	22 07
16	11 42	29♏ 44	23 44	15 31	26 03	3 23	13 23	22 09
17	11 07	0♐ 59	24 25	15 39	25 59	3 25	13 24	22 11
18	10 43	2 14	25 06	15 47	25 55	3 26	13 26	22 13
19	10 30	3 29	25 47	15 54	25 51	3 28	13 28	22 16
20	10D 27	4 43	26 28	16 02	25 47	3 30	13 29	22 18
21	10 34	5 58	27 09	16 09	25 43	3 32	13 31	22 20
22	10 50	7 13	27 50	16 16	25 38	3 34	13 33	22 22
23	11 14	8 28	28 31	16 23	25 34	3 36	13 35	22 25
24	11 45	9 43	29 12	16 30	25 30	3 38	13 36	22 27
25	12 23	10 58	29♏ 53	16 37	25 25	3 40	13 38	22 29
26	13 06	12 13	0♐ 34	16 44	25 21	3 42	13 40	22 31
27	13 55	13 28	1 15	16 50	25 17	3 44	13 42	22 33
28	14 48	14 43	1 57	16 56	25 12	3 47	13 44	22 36
29	15 46	15 58	2 38	17 03	25 07	3 49	13 46	22 38
30	16 47	17 13	3 19	17 09	25 03	3 51	13 48	22 40
31	17♐ 51	18♐ 28	4♐ 00	17♎ 14	24♋ 58	3♓ 54	13♒ 50	22♐ 42

Lunar Aspects

D	☉	☿	♀	♂	♃	♄	♅	♆	♇
1						☌			
2	△	⚼	□	□	✱			☍	⚼
3		△			∠	⚻			△
4						∠	☍		
5	□	□	✱	✱	⚻				□
6			∠	∠		✱		⚼	
7	✱		⚻	⚻	☌		⚼	△	
8	∠	✱				□	△		✱
9	⚻	⚻		☌	⚻			□	∠
10			☌		∠	△	□		⚻
11		☌			✱	⚼		✱	
12	☌		⚻	⚻			✱	∠	☌
13		⚻	∠	∠	□		∠	⚻	
14	⚻	∠	✱	✱		☍	⚻		⚻
15	∠	✱			△			☌	∠
16	✱		□	□	⚼		☌		✱
17		□				⚼		⚻	
18	□			△		△		∠	□
19		△	△	⚼			⚻	✱	
20		⚼	⚼		☍	□	∠		△
21	△						✱		⚼
22	⚼							□	
23				☍	⚼	✱	□		
24		☍	☍			∠		△	
25					△	⚻			☍
26	☍						△	⚼	
27				⚼	□		⚼		
28		⚼	⚼	△		☌			
29								☍	⚼
30	⚼	△	△		✱	⚻			△
31				□	∠		☍		

D M	Saturn Lat.	Saturn Dec.	Uranus Lat.	Uranus Dec.	Neptune Lat.	Neptune Dec.	Pluto Lat.	Pluto Dec.
	° ′	° ′	° ′	° ′	° ′	° ′	° ′	° ′
1	0S04	20N43	0S46	11S06	0S05	17S00	8N05	15S06
3	0 04	20 45	0 46	11 05	0 05	16 59	8 05	15 06
5	0 04	20 46	0 46	11 04	0 05	16 58	8 05	15 07
7	0 03	20 47	0 45	11 03	0 05	16 57	8 05	15 08
9	0 03	20 49	0 45	11 02	0 05	16 57	8 04	15 08
11	0 03	20 50	0 45	11 01	0 05	16 56	8 04	15 09
13	0 03	20 52	0 45	11 00	0 05	16 55	8 04	15 09
15	0 03	20 53	0 45	10 59	0 05	16 54	8 04	15 09
17	0 02	20 55	0 45	10 57	0 05	16 53	8 04	15 10
19	0 02	20 57	0 45	10 56	0 05	16 52	8 03	15 10
21	0 02	20 58	0 45	10 55	0 05	16 51	8 03	15 11
23	0 02	21 00	0 45	10 53	0 05	16 50	8 03	15 11
25	0 02	21 02	0 45	10 52	0 05	16 49	8 03	15 11
27	0 01	21 04	0 45	10 50	0 05	16 48	8 03	15 12
29	0 01	21 06	0 45	10 48	0 05	16 47	8 03	15 12
31	0S01	21N07	0S45	10S47	0S05	16S46	8N03	15S12

Mutual Aspects

1 ☿∠♀. ♂⊻♃.
3 ☉⚼♄. ☿Q♃. ♀⊻♃. ♀□♆.
4 ☉✱♆. ♂⊥♇.
5 ☉✱♃. ♀☌♂. ♀⊥♇. ♀∥♇.
6 ☿⊥♀. ☿⊥♂.
7 ☿☌♇. ☉∥☿.
8 ☿±♄. ☿Q♅. ♂∥♆.
9 ☿⚻♀. ☿⚻♂. ♀⊥♃.
10 ☉☌☿. ♀⚻♇. ♀∥♆.
11 ☿#♄.
12 ☉±♄. ☉Q♅. ♂⊥♃.
13 ☉⚻♂. ☉☌♇. ☿✱♃. ♀△♄. ♀∥♂.
14 ☿✱♆. ♂⚻♇.
17 ☉▽♄. ☿⚼♄. ♀∠♃. ♀Q♆. ☿∥♀.
19 ☉Q♃. ♀□♅. ♂△♄.
20 ☉∠♆. ☿∥♂. ☿Stat.
21 ☿⚼♄.
25 ☉✱♅. ♀⚼♄. ♀#♄.
27 ☿✱♆. ♀✱♆. ☿∥♂.
28 ☿☌♀. ♂∠♃. ♂Q♆.
29 ☉⊥♆.
30 ☿✱♃. ♀✱♃.
31 ☉⊥♂. ♀±♄. ♂□♅. ☿#♄.

LAST QUARTER – Dec. 5,00h.53m. (13°♍14′)

JANUARY

D	☉	☽	☽Dec.	☿	♀	♂
	° ′ ″	° ′ ″	° ′	° ′	° ′	′
1	1 01 09	11 50 04	4 44	0 46	1 14	36
2	1 01 09	11 46 28	4 06	0 35	1 14	37
3	1 01 09	11 47 09	3 18	0 25	1 14	37
4	1 01 08	11 51 22	2 18	0 15	1 14	37
5	1 01 08	11 58 18	1 09	0 05	1 14	37
6	1 01 08	12 07 09	0 08	0 04	1 13	37
7	1 01 08	12 17 10	1 26	0 12	1 13	37
8	1 01 08	12 27 50	2 41	0 20	1 13	37
9	1 01 08	12 38 50	3 48	0 27	1 13	37
10	1 01 07	12 50 09	4 43	0 33	1 13	37
11	1 01 07	13 02 00	5 25	0 39	1 13	37
12	1 01 07	13 14 45	5 53	0 44	1 13	37
13	1 01 07	13 28 43	6 08	0 48	1 13	37
14	1 01 07	13 44 02	6 06	0 52	1 13	37
15	1 01 07	14 00 22	5 46	0 56	1 13	37
16	1 01 07	14 16 47	5 04	0 59	1 13	37
17	1 01 07	14 31 39	3 56	1 02	1 13	37
18	1 01 07	14 42 49	2 22	1 05	1 13	38
19	1 01 06	14 48 03	0 31	1 07	1 13	38
20	1 01 06	14 45 34	1 25	1 10	1 13	38
21	1 01 05	14 34 46	3 07	1 12	1 13	38
22	1 01 04	14 16 26	4 26	1 13	1 13	38
23	1 01 03	13 52 36	5 17	1 15	1 12	38
24	1 01 02	13 26 01	5 44	1 17	1 12	38
25	1 01 01	12 59 28	5 51	1 18	1 12	38
26	1 01 00	12 35 18	5 44	1 19	1 12	38
27	1 00 59	12 15 14	5 25	1 21	1 12	38
28	1 00 58	12 00 17	4 57	1 22	1 12	38
29	1 00 57	11 50 55	4 20	1 23	1 12	38
30	1 00 56	11 47 08	3 33	1 24	1 12	38
31	1 00 54	11 48 37	2 36	1 25	1 12	38

FEBRUARY

D	☉	☽	☽Dec.	☿	♀	♂
	° ′ ″	° ′ ″	° ′	° ′	° ′	′
1	1 00 53	11 54 44	1 29	1 26	1 12	38
2	1 00 52	12 04 35	0 14	1 27	1 12	38
3	1 00 51	12 17 09	1 06	1 27	1 11	38
4	1 00 49	12 31 15	2 24	1 28	1 11	38
5	1 00 48	12 45 43	3 35	1 29	1 11	38
6	1 00 47	12 59 34	4 36	1 30	1 11	38
7	1 00 46	13 12 06	5 23	1 31	1 11	38
8	1 00 45	13 23 05	5 55	1 32	1 11	38
9	1 00 43	13 32 39	6 11	1 33	1 11	38
10	1 00 42	13 41 16	6 10	1 33	1 11	38
11	1 00 41	13 49 27	5 50	1 34	1 11	38
12	1 00 40	13 57 35	5 11	1 35	1 10	38
13	1 00 39	14 05 37	4 09	1 36	1 10	38
14	1 00 38	14 12 58	2 45	1 37	1 10	38
15	1 00 37	14 18 32	1 03	1 38	1 10	38
16	1 00 36	14 20 53	0 47	1 38	1 10	38
17	1 00 35	14 18 37	2 31	1 39	1 10	38
18	1 00 33	14 10 50	3 57	1 40	1 10	38
19	1 00 32	13 57 28	5 00	1 41	1 09	38
20	1 00 30	13 39 23	5 39	1 42	1 09	38
21	1 00 28	13 18 15	5 56	1 43	1 09	38
22	1 00 27	12 56 05	5 56	1 44	1 09	38
23	1 00 25	12 34 55	5 41	1 45	1 09	38
24	1 00 23	12 16 30	5 14	1 46	1 09	38
25	1 00 21	12 02 08	4 38	1 47	1 08	38
26	1 00 19	11 52 42	3 51	1 48	1 08	38
27	1 00 17	11 48 39	2 56	1 49	1 08	38
28	1 00 15	11 50 05	1 51	1 50	1 08	38
29	1 00 13	11 56 45	0 38	1 51	1 08	38

MARCH

D	☉	☽	☽Dec.	☿	♀	♂
	° ′ ″	° ′ ″	° ′	° ′	° ′	′
1	1 00 11	12 08 06	0 40	1 52	1 07	38
2	1 00 09	12 23 14	1 59	1 53	1 07	38
3	1 00 07	12 40 58	3 14	1 54	1 07	38
4	1 00 05	12 59 51	4 21	1 55	1 07	38
5	1 00 03	13 18 19	5 16	1 55	1 07	38
6	1 00 01	13 34 55	5 56	1 56	1 06	38
7	0 59 59	13 48 34	6 19	1 57	1 06	38
8	0 59 57	13 58 41	6 23	1 57	1 06	38
9	0 59 56	14 05 14	6 07	1 58	1 06	38
10	0 59 54	14 08 43	5 29	1 58	1 05	38
11	0 59 52	14 09 49	4 27	1 58	1 05	38
12	0 59 51	14 09 11	3 05	1 57	1 05	38
13	0 59 49	14 07 12	1 26	1 57	1 05	38
14	0 59 48	14 03 53	0 21	1 56	1 04	38
15	0 59 46	13 58 58	2 03	1 55	1 04	38
16	0 59 44	13 51 59	3 31	1 53	1 04	38
17	0 59 42	13 42 32	4 39	1 51	1 03	38
18	0 59 40	13 30 30	5 25	1 49	1 03	38
19	0 59 38	13 16 06	5 51	1 46	1 03	38
20	0 59 36	13 00 03	5 58	1 43	1 02	38
21	0 59 34	12 43 18	5 50	1 39	1 02	38
22	0 59 32	12 27 05	5 29	1 35	1 02	38
23	0 59 30	12 12 34	4 56	1 30	1 01	38
24	0 59 28	12 00 51	4 12	1 25	1 01	38
25	0 59 26	11 52 52	3 17	1 20	1 01	38
26	0 59 23	11 49 18	2 14	1 14	1 00	38
27	0 59 21	11 50 36	1 03	1 08	1 00	38
28	0 59 19	11 56 57	0 13	1 01	0 59	38
29	0 59 17	12 08 16	1 31	0 55	0 59	38
30	0 59 14	12 24 07	2 46	0 48	0 58	38
31	0 59 12	12 43 40	3 56	0 41	0 58	38

APRIL

D	☉	☽	☽Dec.	☿	♀	♂
	° ′ ″	° ′ ″	° ′	° ′	° ′	′
1	0 59 10	13 05 43	4 56	0 34	0 57	38
2	0 59 07	13 28 38	5 44	0 27	0 57	38
3	0 59 05	13 50 31	6 18	0 20	0 56	38
4	0 59 03	14 09 28	6 33	0 13	0 56	38
5	0 59 01	14 23 51	6 27	0 06	0 55	38
6	0 58 59	14 32 37	5 56	0 01	0 55	38
7	0 58 57	14 35 28	4 59	0 08	0 54	38
8	0 58 56	14 32 49	3 36	0 14	0 54	38
9	0 58 54	14 25 39	1 54	0 20	0 53	38
10	0 58 52	14 15 09	0 04	0 25	0 52	38
11	0 58 50	14 02 30	1 42	0 30	0 52	38
12	0 58 49	13 48 41	3 13	0 34	0 51	38
13	0 58 47	13 34 22	4 23	0 37	0 50	38
14	0 58 45	13 20 00	5 12	0 40	0 49	38
15	0 58 43	13 05 48	5 41	0 42	0 49	38
16	0 58 42	12 51 57	5 53	0 43	0 48	38
17	0 58 40	12 38 35	5 51	0 43	0 47	38
18	0 58 38	12 25 58	5 36	0 43	0 46	38
19	0 58 36	12 14 26	5 08	0 42	0 45	38
20	0 58 34	12 04 26	4 28	0 40	0 44	38
21	0 58 32	11 56 29	3 37	0 37	0 43	38
22	0 58 30	11 51 11	2 36	0 34	0 42	38
23	0 58 28	11 49 06	1 26	0 30	0 41	38
24	0 58 26	11 50 46	0 11	0 26	0 40	38
25	0 58 24	11 56 37	1 05	0 22	0 39	38
26	0 58 22	12 06 57	2 20	0 17	0 38	38
27	0 58 20	12 21 47	3 29	0 12	0 36	38
28	0 58 17	12 40 54	4 30	0 08	0 35	38
29	0 58 15	13 03 35	5 21	0 03	0 34	38
30	0 58 13	13 28 41	6 01	0 02	0 32	38

DAILY MOTIONS OF THE PLANETS, 2004

MAY

D	☉	☽	☽Dec.	☿	♀	♂
	° ′ ″	° ′ ″	° ′	° ′	° ′	′
1	0 58 11	13 54 29	6 26	0 07	0 31	38
2	0 58 09	14 18 46	6 33	0 12	0 29	38
3	0 58 08	14 39 08	6 17	0 16	0 28	38
4	0 58 06	14 53 19	5 32	0 21	0 26	38
5	0 58 04	14 59 41	4 18	0 25	0 24	38
6	0 58 03	14 57 41	2 37	0 30	0 23	38
7	0 58 02	14 47 53	0 40	0 34	0 21	38
8	0 58 00	14 31 54	1 15	0 38	0 19	38
9	0 57 59	14 11 51	2 56	0 41	0 17	38
10	0 57 57	13 49 58	4 12	0 45	0 15	38
11	0 57 56	13 28 08	5 04	0 49	0 13	38
12	0 57 55	13 07 43	5 36	0 52	0 11	38
13	0 57 54	12 49 30	5 50	0 55	0 09	38
14	0 57 52	12 33 54	5 49	0 58	0 07	38
15	0 57 51	12 20 53	5 37	1 01	0 04	38
16	0 57 50	12 10 21	5 13	1 04	0 02	38
17	0 57 48	12 02 04	4 38	1 07	0 00	38
18	0 57 47	11 55 51	3 51	1 10	0 03	38
19	0 57 46	11 51 39	2 53	1 13	0 05	38
20	0 57 44	11 49 30	1 46	1 16	0 07	38
21	0 57 43	11 49 37	0 32	1 18	0 10	38
22	0 57 41	11 52 21	0 44	1 21	0 12	38
23	0 57 40	11 58 04	1 58	1 23	0 15	38
24	0 57 39	12 07 14	3 07	1 26	0 17	38
25	0 57 37	12 20 11	4 07	1 28	0 19	38
26	0 57 35	12 37 08	4 58	1 31	0 22	38
27	0 57 34	12 58 00	5 39	1 33	0 24	38
28	0 57 33	13 22 14	6 08	1 36	0 26	38
29	0 57 31	13 48 42	6 23	1 38	0 28	38
30	0 57 30	14 15 35	6 19	1 40	0 30	38
31	0 57 29	14 40 22	5 52	1 43	0 31	38

JUNE

D	☉	☽	☽Dec.	☿	♀	♂
	° ′ ″	° ′ ″	° ′	° ′	° ′	′
1	0 57 28	15 00 08	4 55	1 45	0 33	38
2	0 57 27	15 12 05	3 26	1 48	0 34	38
3	0 57 26	15 14 14	1 31	1 50	0 35	38
4	0 57 25	15 06 09	0 33	1 52	0 36	38
5	0 57 24	14 49 01	2 28	1 55	0 37	38
6	0 57 23	14 25 22	3 58	1 57	0 38	38
7	0 57 23	13 58 19	5 00	1 59	0 38	38
8	0 57 22	13 30 48	5 36	2 01	0 38	38
9	0 57 22	13 05 07	5 52	2 03	0 37	38
10	0 57 21	12 42 44	5 53	2 05	0 37	38
11	0 57 21	12 24 26	5 41	2 07	0 36	38
12	0 57 20	12 10 20	5 18	2 08	0 35	38
13	0 57 20	12 00 15	4 45	2 09	0 34	38
14	0 57 19	11 53 41	4 01	2 10	0 32	38
15	0 57 19	11 50 07	3 06	2 11	0 31	38
16	0 57 18	11 49 01	2 02	2 12	0 29	38
17	0 57 18	11 49 58	0 49	2 12	0 27	38
18	0 57 17	11 52 42	0 27	2 12	0 25	38
19	0 57 17	11 57 09	1 42	2 11	0 23	38
20	0 57 16	12 03 28	2 51	2 11	0 21	38
21	0 57 16	12 11 58	3 52	2 10	0 19	38
22	0 57 15	12 23 06	4 43	2 09	0 16	38
23	0 57 14	12 37 17	5 22	2 08	0 14	38
24	0 57 14	12 54 50	5 51	2 06	0 12	38
25	0 57 13	13 15 46	6 08	2 05	0 09	38
26	0 57 13	13 39 36	6 10	2 03	0 07	38
27	0 57 12	14 05 10	5 54	2 01	0 05	38
28	0 57 12	14 30 28	5 12	1 59	0 02	38
29	0 57 11	14 52 42	4 02	1 57	0 00	38
30	0 57 11	15 08 42	2 21	1 55	0 02	38

JULY

D	☉	☽	☽Dec.	☿	♀	♂
	° ′ ″	° ′ ″	° ′	° ′	° ′	′
1	0 57 11	15 15 36	0 20	1 53	0 05	38
2	0 57 11	15 11 47	1 44	1 51	0 07	38
3	0 57 11	14 57 28	3 31	1 49	0 09	38
4	0 57 11	14 34 41	4 49	1 47	0 11	38
5	0 57 11	14 06 39	5 38	1 45	0 13	38
6	0 57 11	13 36 51	6 00	1 43	0 15	38
7	0 57 12	13 08 17	6 03	1 41	0 17	38
8	0 57 12	12 43 03	5 51	1 39	0 19	38
9	0 57 13	12 22 23	5 28	1 37	0 21	38
10	0 57 13	12 06 48	4 55	1 35	0 23	38
11	0 57 14	11 56 14	4 12	1 33	0 24	38
12	0 57 14	11 50 17	3 19	1 31	0 26	38
13	0 57 15	11 48 18	2 16	1 29	0 27	38
14	0 57 15	11 49 34	1 06	1 27	0 29	38
15	0 57 16	11 53 18	0 10	1 24	0 30	38
16	0 57 16	11 58 52	1 27	1 22	0 32	38
17	0 57 16	12 05 45	2 38	1 20	0 33	38
18	0 57 17	12 13 41	3 42	1 18	0 34	38
19	0 57 17	12 22 39	4 34	1 16	0 36	38
20	0 57 17	12 32 53	5 15	1 13	0 37	38
21	0 57 18	12 44 47	5 44	1 11	0 38	38
22	0 57 18	12 58 49	6 01	1 08	0 39	38
23	0 57 18	13 15 20	6 04	1 06	0 40	38
24	0 57 19	13 34 20	5 50	1 03	0 41	38
25	0 57 19	13 55 15	5 17	1 00	0 42	38
26	0 57 20	14 16 47	4 20	0 57	0 43	38
27	0 57 20	14 36 51	2 55	0 54	0 44	38
28	0 57 21	14 52 43	1 06	0 51	0 45	38
29	0 57 21	15 01 36	0 55	0 48	0 46	38
30	0 57 22	15 01 23	2 50	0 44	0 47	38
31	0 57 23	14 51 24	4 24	0 41	0 47	38

AUGUST

D	☉	☽	☽Dec.	☿	♀	♂
	° ′ ″	° ′ ″	° ′	° ′	° ′	′
1	0 57 24	14 32 41	5 28	0 37	0 48	38
2	0 57 25	14 07 43	6 04	0 33	0 49	38
3	0 57 26	13 39 39	6 15	0 29	0 50	38
4	0 57 27	13 11 34	6 07	0 25	0 50	38
5	0 57 28	12 45 54	5 45	0 20	0 51	38
6	0 57 29	12 24 21	5 12	0 15	0 52	38
7	0 57 31	12 07 49	4 28	0 10	0 52	38
8	0 57 32	11 56 37	3 36	0 05	0 53	38
9	0 57 34	11 50 38	2 34	0 00	0 54	38
10	0 57 35	11 49 24	1 24	0 05	0 54	38
11	0 57 36	11 52 14	0 08	0 11	0 55	38
12	0 57 38	11 58 20	1 09	0 16	0 55	38
13	0 57 39	12 06 47	2 23	0 22	0 56	38
14	0 57 40	12 16 46	3 30	0 27	0 56	38
15	0 57 42	12 27 31	4 27	0 32	0 57	38
16	0 57 43	12 38 32	5 12	0 37	0 57	38
17	0 57 44	12 49 37	5 44	0 42	0 58	38
18	0 57 45	13 00 49	6 03	0 46	0 58	38
19	0 57 46	13 12 26	6 06	0 49	0 58	38
20	0 57 48	13 24 50	5 54	0 51	0 59	38
21	0 57 49	13 38 14	5 23	0 53	0 59	38
22	0 57 50	13 52 35	4 31	0 53	1 00	38
23	0 57 51	14 07 13	3 15	0 53	1 00	38
24	0 57 52	14 20 56	1 37	0 51	1 00	38
25	0 57 54	14 31 59	0 16	0 49	1 01	38
26	0 57 55	14 38 23	2 09	0 45	1 01	38
27	0 57 56	14 38 25	3 49	0 40	1 01	38
28	0 57 58	14 31 13	5 05	0 34	1 02	38
29	0 57 59	14 17 01	5 55	0 28	1 02	38
30	0 58 01	13 57 12	6 18	0 21	1 02	38
31	0 58 02	13 33 54	6 20	0 13	1 03	38

SEPTEMBER

D	☉ ° ′ ″	☽ ° ′ ″	☽Dec. ° ′	☿ ° ′	♀ ° ′	♂ ′
1	0 58 04	13 09 33	6 04	0 05	1 03	38
2	0 58 06	12 46 20	5 33	0 04	1 03	38
3	0 58 08	12 26 02	4 51	0 13	1 04	38
4	0 58 10	12 09 52	3 58	0 21	1 04	38
5	0 58 12	11 58 33	2 56	0 30	1 04	38
6	0 58 14	11 52 22	1 46	0 38	1 04	38
7	0 58 16	11 51 14	0 31	0 46	1 05	38
8	0 58 18	11 54 48	0 46	0 54	1 05	38
9	0 58 20	12 02 28	2 02	1 02	1 05	38
10	0 58 22	12 13 26	3 12	1 08	1 05	38
11	0 58 24	12 26 44	4 14	1 15	1 06	38
12	0 58 26	12 41 18	5 05	1 21	1 06	38
13	0 58 28	12 56 09	5 43	1 26	1 06	39
14	0 58 30	13 10 24	6 07	1 31	1 06	39
15	0 58 32	13 23 28	6 16	1 35	1 06	39
16	0 58 33	13 35 02	6 07	1 38	1 07	39
17	0 58 35	13 45 06	5 38	1 41	1 07	39
18	0 58 37	13 53 49	4 47	1 44	1 07	39
19	0 58 39	14 01 19	3 34	1 46	1 07	39
20	0 58 40	14 07 36	2 00	1 47	1 07	39
21	0 58 42	14 12 21	0 12	1 48	1 08	39
22	0 58 44	14 15 00	1 38	1 49	1 08	39
23	0 58 45	14 14 48	3 18	1 50	1 08	39
24	0 58 47	14 11 02	4 38	1 50	1 08	39
25	0 58 49	14 03 14	5 35	1 50	1 08	39
26	0 58 51	13 51 25	6 09	1 50	1 08	39
27	0 58 52	13 36 07	6 20	1 50	1 09	39
28	0 58 54	13 18 22	6 13	1 49	1 09	39
29	0 58 57	12 59 29	5 50	1 49	1 09	39
30	0 58 59	12 40 54	5 12	1 48	1 09	39

OCTOBER

D	☉ ° ′ ″	☽ ° ′ ″	☽Dec. ° ′	☿ ° ′	♀ ° ′	♂ ′
1	0 59 01	12 23 59	4 22	1 48	1 09	39
2	0 59 03	12 09 52	3 22	1 47	1 09	39
3	0 59 06	11 59 27	2 12	1 46	1 10	39
4	0 59 08	11 53 22	0 57	1 45	1 10	39
5	0 59 10	11 51 59	0 21	1 45	1 10	39
6	0 59 12	11 55 24	1 37	1 44	1 10	39
7	0 59 15	12 03 28	2 48	1 43	1 10	39
8	0 59 17	12 15 46	3 52	1 42	1 10	39
9	0 59 19	12 31 35	4 47	1 42	1 10	39
10	0 59 21	12 49 56	5 31	1 41	1 11	39
11	0 59 24	13 09 33	6 03	1 40	1 11	39
12	0 59 26	13 29 01	6 21	1 39	1 11	39
13	0 59 28	13 46 52	6 20	1 39	1 11	39
14	0 59 30	14 01 49	5 59	1 38	1 11	39
15	0 59 32	14 12 54	5 13	1 37	1 11	39
16	0 59 34	14 19 39	4 02	1 37	1 11	39
17	0 59 36	14 22 03	2 27	1 36	1 11	39
18	0 59 37	14 20 30	0 38	1 35	1 11	39
19	0 59 39	14 15 40	1 14	1 35	1 12	39
20	0 59 41	14 08 17	2 56	1 34	1 12	39
21	0 59 42	13 58 58	4 18	1 34	1 12	39
22	0 59 44	13 48 13	5 17	1 33	1 12	39
23	0 59 46	13 36 24	5 54	1 32	1 12	39
24	0 59 47	13 23 44	6 12	1 32	1 12	39
25	0 59 49	13 10 24	6 12	1 31	1 12	39
26	0 59 51	12 56 40	5 56	1 31	1 12	39
27	0 59 53	12 42 52	5 26	1 30	1 12	39
28	0 59 55	12 29 30	4 41	1 30	1 12	40
29	0 59 57	12 17 08	3 45	1 29	1 13	40
30	0 59 59	12 06 27	2 38	1 29	1 13	40
31	1 00 01	11 58 10	1 23	1 28	1 13	40

NOVEMBER

D	☉ ° ′ ″	☽ ° ′ ″	☽Dec. ° ′	☿ ° ′	♀ ° ′	♂ ′
1	1 00 03	11 52 57	0 05	1 28	1 13	40
2	1 00 05	11 51 27	1 12	1 27	1 13	40
3	1 00 07	11 54 08	2 24	1 26	1 13	40
4	1 00 09	12 01 22	3 29	1 26	1 13	40
5	1 00 11	12 13 15	4 24	1 25	1 13	40
6	1 00 13	12 29 38	5 11	1 24	1 13	40
7	1 00 15	12 49 58	5 47	1 24	1 13	40
8	1 00 17	13 13 15	6 12	1 23	1 13	40
9	1 00 19	13 37 59	6 22	1 22	1 13	40
10	1 00 21	14 02 09	6 13	1 21	1 13	40
11	1 00 23	14 23 26	5 40	1 20	1 14	40
12	1 00 25	14 39 34	4 38	1 19	1 14	40
13	1 00 26	14 48 43	3 08	1 17	1 14	40
14	1 00 28	14 50 01	1 16	1 16	1 14	40
15	1 00 29	14 43 45	0 44	1 14	1 14	40
16	1 00 31	14 31 17	2 35	1 12	1 14	40
17	1 00 32	14 14 34	4 04	1 10	1 14	40
18	1 00 33	13 55 45	5 07	1 07	1 14	40
19	1 00 34	13 36 39	5 46	1 04	1 14	40
20	1 00 35	13 18 33	6 05	1 01	1 14	40
21	1 00 36	13 02 13	6 08	0 57	1 14	40
22	1 00 38	12 47 52	5 55	0 53	1 14	40
23	1 00 39	12 35 27	5 30	0 48	1 14	40
24	1 00 40	12 24 42	4 51	0 43	1 14	40
25	1 00 41	12 15 24	4 00	0 37	1 14	40
26	1 00 43	12 07 23	2 57	0 30	1 14	40
27	1 00 44	12 00 39	1 45	0 23	1 14	40
28	1 00 46	11 55 24	0 28	0 14	1 14	40
29	1 00 47	11 52 03	0 50	0 05	1 14	40
30	1 00 48	11 51 08	2 03	0 05	1 14	40

DECEMBER

D	☉ ° ′ ″	☽ ° ′ ″	☽Dec. ° ′	☿ ° ′	♀ ° ′	♂ ′
1	1 00 50	11 53 17	3 09	0 16	1 14	40
2	1 00 51	11 59 09	4 05	0 27	1 15	40
3	1 00 52	12 09 16	4 51	0 38	1 15	41
4	1 00 54	12 24 01	5 27	0 49	1 15	41
5	1 00 55	12 43 30	5 54	0 59	1 15	41
6	1 00 56	13 07 18	6 09	1 08	1 15	41
7	1 00 57	13 34 25	6 10	1 15	1 15	41
8	1 00 59	14 03 01	5 52	1 20	1 15	41
9	1 01 00	14 30 26	5 07	1 23	1 15	41
10	1 01 01	14 53 27	3 52	1 22	1 15	41
11	1 01 02	15 08 46	2 07	1 19	1 15	41
12	1 01 03	15 14 01	0 03	1 14	1 15	41
13	1 01 03	15 08 24	2 01	1 06	1 15	41
14	1 01 04	14 53 07	3 46	0 56	1 15	41
15	1 01 04	14 30 49	5 01	0 46	1 15	41
16	1 01 04	14 04 51	5 48	0 35	1 15	41
17	1 01 05	13 38 20	6 09	0 24	1 15	41
18	1 01 05	13 13 38	6 11	0 13	1 15	41
19	1 01 05	12 52 10	5 59	0 03	1 15	41
20	1 01 05	12 34 35	5 34	0 07	1 15	41
21	1 01 06	12 20 53	4 57	0 16	1 15	41
22	1 01 06	12 10 39	4 10	0 24	1 15	41
23	1 01 06	12 03 20	3 11	0 31	1 15	41
24	1 01 07	11 58 16	2 02	0 38	1 15	41
25	1 01 07	11 54 56	0 46	0 44	1 15	41
26	1 01 07	11 52 59	0 32	0 49	1 15	41
27	1 01 07	11 52 19	1 47	0 53	1 15	41
28	1 01 08	11 53 06	2 54	0 57	1 15	41
29	1 01 08	11 55 45	3 52	1 01	1 15	41
30	1 01 08	12 00 52	4 38	1 04	1 15	41
31	1 01 09	12 09 10	5 14	1 07	1 15	41

JANUARY

1 Th	2 27	☽△☿	G
	5 01	☽♉	
	5 11	☽✱♅	G
	6 42	☿∠♀	
	12 52	☽⚼♃	b
	15 47	☽#♅	B
	16 09	☽⚼♇	b
	20 22	♂□♄	
2 Fr	0 34	☽✱♄	G
	0 49	☽⊻♂	g
	3 22	☽△☉	G
	3 39	☽#♇	D
	4 44	☽□♆	B
	6 50	☽⚼☿	b
	11 28	☽□♀	B
	18 40	☽#♆	D
	19 21	☽△♃	G
	19 43	☉⊻♆	
	22 08	☽#♀	G
	22 26	♀±♄	
3 Sa	6 53	☽∠♄	b
	9 01	☽∠♂	b
	12 17	☽#☿	G
	12 49	☽⚼☉	b
	17 58	☽♊	
	18 21	☽□♅	B
	23 57	♃Stat	
4 Su	0 12	☿∠♆	
	3 41	☽∥♄	B
	6 21	☽#☉	G
	13 13	☽⊻♄	g
	13 26	♀∥♆	
	17 14	☽✱♂	G
	18 00	☽△♆	G
5 Mo	7 34	☽△♀	G
	8 21	☽□♃	B
	9 06	♂✱♆	
	11 53	☽☍♇	B
	15 09	♀∇♃	
	23 14	☽☍☿	B
6 Tu	0 21	☽⚼♆	b
	6 38	☽♋	
	7 14	☽△♅	G
	7 15	☉∠♅	
	13 45	☿Stat	
	17 03	☽⚼♀	b
7 We	1 03	☽☌♄	B
	2 42	♀✱♇	
	3 59	☉#♄	
	8 33	☽□♂	B
	13 04	☽⚼♅	b
	15 40	☽☍☉	B
	20 00	☽✱♃	G
8 Th	3 36	♂∥♃	
	17 38	☽☊	
9 Fr	1 05	☽∠♃	b
	4 47	☽⚼♇	b
	11 03	☽⊻♄	g
	13 26	☽∥♄	B
	15 52	☽#☉	G
	16 33	☽⚼☿	b
	16 39	☽☍♆	B
	19 00	☉△♃	
	19 35	☿∠♆	
	19 46	♀⚼♄	
	21 39	☽△♂	G
10	0 29	☽#☿	G

Sa	5 39	☽⊻♃	g
	9 25	☽△♇	G
	15 19	☽∠♄	b
	17 31	☽☍♀	B
	20 59	☽#♆	D
	22 00	☽△☿	G
11 Su	2 37	☽♍	
	3 20	☽⚼♂	b
	3 35	☽☍♅	B
	6 25	♀∥♇	
	9 01	♂∠♅	
	10 22	☽#♇	D
	10 45	☽#♀	G
	13 07	☽⚼☉	b
	18 42	☉⊻♇	
	19 06	☽✱♄	G
	22 07	☽#♅	B
12 Mo	13 18	☽☌♃	G
	17 10	☽□♇	B
	18 59	☽△☉	G
	20 20	☽∥♂	B
13 Tu	1 01	☽∥♃	G
	4 25	☽⚼♆	b
	8 01	☽□☿	B
	9 38	☽♎	
14 We	0 05	☉∥☿	
	1 11	☽□♄	B
	1 35	☉⊥♀	
	7 20	☽△♆	G
	11 02	☿♑	
	11 53	☽⚼♀	b
	13 34	☽⚼♅	b
	16 55	☽☍♂	B
	17 16	♀♓	
	18 54	☽⊻♃	g
	21 15	☽#♃	G
	22 52	☽✱♇	G
15 Th	3 57	☽#♂	B
	4 46	☽□☉	B
	6 53	☿✱♅	
	7 23	♀☌♅	
	8 42	☿✱♀	
	13 30	☉⊥♅	
	14 33	☽♏	
	15 48	☽△♅	G
	16 24	☽✱☿	G
	16 35	☽△♀	G
	20 53	☽∠♃	b
	22 13	☽∥♅	B
16 Fr	0 17	☽∥♀	G
	0 53	☽∠♇	b
	5 10	☽△♄	G
	9 17	☽∥♇	D
	9 56	♂∇♃	
	11 29	☽□♆	B
	19 49	☽∠☿	b
	21 01	☽∥♆	D
	22 18	☽✱♃	G
17 Sa	2 22	☽⊻♇	g
	3 09	♀∥♅	
	5 34	♀Q♇	
	6 22	☽⚼♄	b
	11 48	☽✱☉	G
	15 07	☽∥☉	G
	17 18	☽♐	
	18 41	☽□♅	B
	20 48	☉⊥♇	
	22 12	☽∥☿	G
	22 45	☽⊻☿	g

	23 53	☽□♀	B
18 Su	1 02	☽⚼♂	b
	1 13	☽#♄	B
	13 35	☽✱♆	G
	14 26	☽∠☉	b
	23 46	☽□♃	B
19 Mo	2 42	☽△♂	G
	2 48	♀∠♂	
	3 58	☽☌♇	D
	14 06	☽∠♆	b
	16 41	☽⊻☉	g
	18 24	☽♑	
	19 56	☽✱♅	G
20 Tu	3 36	☽☌☿	G
	5 14	☽✱♀	G
	7 43	☽☍♄	B
	9 59	♂△♇	
	14 29	☽⊻♆	g
	17 42	☉♒	
	18 35	☿⊥♆	
	20 20	☽∠♅	b
21 We	0 18	☽△♃	G
	4 46	☽⊻♇	g
	5 34	☽□♂	B
	7 46	☽∠♀	b
	10 04	♀△♄	
	10 46	♃±♆	
	18 15	☉⊻♅	
	19 10	☽♒	
	20 54	☽⊻♅	g
	21 05	☽☌☉	D
22 Th	0 44	☽⚼♃	b
	4 59	☿☍♄	
	5 24	☽∠♇	b
	8 48	☽⊻☿	g
	10 38	☽⊻♀	g
	11 27	☽#♄	B
	11 42	☽∥☿	G
	15 19	♀#♂	
	15 46	☽☌♆	D
23 Fr	2 10	☿#♄	
	4 13	☽∥☉	G
	6 31	☽✱♇	G
	9 29	☽⚼♄	b
	9 33	☽✱♂	G
	12 20	☽∠☿	b
	16 40	☽∥♆	D
	21 29	☽♓	
	22 46	☉⚼♃	
	23 28	☽☌♅	B
24 Sa	3 29	☽⊻☉	g
	4 22	☽∥♇	D
	11 15	☽△♄	G
	12 42	☽∠♂	b
	16 30	☽∥♅	B
	16 58	☽✱☿	G
	18 48	☽☌♀	G
	19 25	☽⊻♆	g
25 Su	0 32	☽#♂	B
	1 49	♀⊻♆	
	5 30	☽☍♃	B
	5 34	♂±♃	
	8 12	☽∠☉	b
	8 36	☽∥♀	G
	11 09	☽□♇	B
	16 44	☽#♃	G
	16 56	☽⊻♂	g
	19 27	☿⊻♆	
	20 41	♂Q♆	

	22 38	☽∠♆	b
26 Mo	3 06	☽♈	
	5 28	☽⊻♅	g
	14 14	☽✱☉	G
	17 38	☽□♄	B
	23 37	☉∠♇	
27 Tu	2 54	☽✱♆	G
	6 28	☽□☿	B
	7 58	☽⊻♀	g
	10 02	☽∠♅	b
	15 15	♂Q♄	
	18 11	☽∥♃	G
	19 49	☽△♇	G
	21 01	☽#♀	G
28 We	4 59	☽☌♂	B
	6 25	☉∇♄	
	12 46	☽♉	
	15 31	☽∥♂	B
	15 33	☽✱♅	G
	16 32	☽∠♀	b
	16 44	☿∠♅	
	18 35	☽⚼♃	b
	19 57	☽#♅	B
29 Th	1 25	♀#♃	
	1 33	☽⚼♇	b
	3 56	☽✱♄	G
	6 03	☽□☉	B
	10 05	☽#♇	D
	12 01	♀☍♃	
	14 14	☽□♆	B
	18 09	☿△♃	
	22 50	☿#♄	
	23 16	☽#♆	D
30 Fr	0 34	☽△♃	G
	1 27	☽△☿	G
	2 04	☽✱♀	G
	3 57	☽#☉	G
	5 29	♀⊥♆	
	10 05	☽∠♄	b
	20 42	☽⊻♂	g
31 Sa	1 18	☽♊	
	4 27	☽□♅	B
	10 02	☽#☿	G
	10 54	☽∥♄	B
	11 08	☿✱♀	
	12 04	☽⚼☿	b
	16 28	☽⊻♄	g

FEBRUARY

1 Su	0 40	☽△☉	G
	3 24	☽△♆	G
	4 45	☉±♃	
	4 58	☽∠♂	b
	6 25	♂#♅	
	8 54	☿⊻♇	
	12 55	♀□♇	
	13 08	☽□♃	B
	21 01	☽☍♇	B
	21 54	☽□♀	B
2 Mo	6 52	☉∥♆	
	9 29	☉☌♆	
	9 47	☽⚼♆	b
	9 49	☽⚼☉	b
	12 56	☽✱♂	G
	14 03	☽♋	
	17 25	☽△♅	G
	20 06	☉±♄	
3 Tu	4 35	☽☌♄	B
	10 04	♂♉	

	20 35	♀⊥♂	
	23 12	☽⚼♅	b
4 We	0 28	☽✱♃	G
	7 56	☿⊥♅	
	15 39	☽△♀	G
	17 53	☽☍☿	B
5 Th	0 50	☽☊	
	2 54	☽□♂	B
	5 12	☽∠♃	b
	13 26	☽⚼♇	b
	14 01	☿⊥♇	
	14 28	☽⊻♄	g
	18 54	☽∥♄	B
	23 12	☽⚼♀	b
6 Fr	1 30	☽☍♆	B
	1 31	☽#☿	G
	8 47	☽☍☉	B
	9 18	☽⊻♃	g
	9 22	♂✱♅	
	14 54	☉∇♃	
	17 38	☽△♇	G
	18 28	☽∠♄	b
	18 44	♂⚼♃	
7 Sa	0 40	♀∠♆	
	4 20	☿♒	
	4 25	☽#♆	D
	9 03	☽♍	
	11 47	☽#☉	G
	11 49	♄±♆	
	12 37	☽☍♅	B
	13 53	☽△♂	G
	16 04	☽#♇	D
	21 55	☽✱♄	G
	22 20	☽∥♂	B
8 Su	5 50	☽#♅	B
	11 31	☿⚼♃	
	12 11	☿⊻♅	
	15 51	☽☌♃	G
	16 20	♀♈	
	16 26	☽⚼☿	b
	18 28	☽⚼♂	b
9 Mo	0 23	☽□♇	B
	2 37	☽∥♃	G
	11 53	☽⚼♆	b
	15 12	☽♎	
	17 24	☽☍♀	B
	21 08	☿□♂	
	22 41	☽△☿	G
10 Tu	1 11	☽⚼☉	b
	2 52	☽∥♀	G
	3 30	☽□♄	B
	5 06	☽#♀	G
	8 41	☉∥♇	
	11 26	♀⊻♅	
	14 32	☽△♆	G
	20 45	☽⊻♃	g
	21 30	☽⚼♅	b
11 We	3 54	☉✱♇	
	5 10	☽#♃	G
	5 34	☽✱♇	G
	5 42	☽△☉	G
	6 55	☉⚼♄	
	14 07	☿∠♇	
	15 40	☿∇♄	
	19 58	☽♏	
	20 17	☉#♂	
	22 44	☽∠♃	b
	23 47	☽△♅	G
12	0 28	☽∥♅	B

Day	Time	Aspect	
Th	5 42	☽☍♂	B
	7 43	☽∠♇	b
	7 49	☽△♄	G
	9 56	☽□☿	B
	10 49	☽∥☉	G
	12 20	☽#♂	B
	13 46	☽∥♇	D
	18 55	☽□♆	B
13	0 19	☽∥♆	D
Fr	0 27	☽⚹♃	G
	7 15	☽⊡♀	b
	9 33	☽⊡♄	b
	9 35	☽⊻♇	g
	13 14	☽∥☿	G
	13 39	☽□☉	B
	21 06	☿±♃	
	23 35	☽♐	
	23 55	♂#♇	
14	0 50	♂⚹♄	
Sa	2 58	♂⊡♇	
	3 33	☽□♅	B
	7 10	☽#♄	B
	7 31	☉Q♂	
	9 58	♀□♄	
	11 08	☽△♀	G
	19 46	☽⚹☿	G
	21 39	♀⊻♂	
	22 12	☽⚹♆	G
15	3 06	☽□♃	B
Su	7 52	☿±♄	
	12 32	☽☌♇	D
	14 04	☽⊡♂	b
	17 43	☿☌♆	
	20 20	☽⚹☉	G
	20 32	♀⊥♅	
	23 31	☽∠♆	b
16	0 14	☽∠☿	b
Mo	2 14	☽♑	
	6 20	☽⚹♅	G
	13 23	☽☍♄	B
	16 23	☽△♂	G
	18 05	☽□♀	B
	23 22	☽∠☉	b
17	0 41	☽⊻♆	g
Tu	4 35	☽⊻☿	g
	5 00	☽△♃	G
	7 32	☽∠♅	b
	8 00	☿⊽♃	
	14 51	☽⊻♇	g
18	2 22	☽⊻☉	g
We	4 27	☽♒	
	5 55	☽⊡♃	b
	8 46	☽⊻♅	g
	16 04	☽∠♇	b
	20 16	☽#♄	B
	21 02	☽□♂	B
19	0 53	☽⚹♀	G
Th	3 12	☽☌♆	D
	7 50	☉♓	
	13 45	☽☌☿	G
	16 55	☽⊡♄	b
	17 29	☿∥♆	
	17 33	☽⚹♇	G
20	2 27	☉∥♅	
Fr	3 44	☽∥♆	D
	4 48	☽∠♀	b
	4 51	☽∥☿	G
	6 10	♀⚹♆	
	7 26	☽♓	

Day	Time	Aspect	
	7 57	☽#♂	B
	9 18	☽☌☉	D
	12 07	☽☌♅	B
	14 06	☽∥♇	D
	15 41	☿⊡♄	
	18 47	☽△♄	G
	21 41	☿⚹♇	
21	3 10	☽⚹♂	G
Sa	3 37	☿#♂	
	4 21	☽∥♅	B
	5 58	☽∥☉	G
	7 11	☽⊻♆	g
	9 27	☽⊻♀	g
	10 34	☽☍♃	B
	21 17	☽#♃	G
	21 19	♀⊽♃	
	22 10	☽□♇	B
	23 45	☽#♀	G
22	1 44	☽⊻☿	g
Su	2 07	☉☌♅	
	7 22	☽∠♂	b
	10 13	☽∠♆	b
	12 45	☽♈	
	17 56	☽⊻♅	g
	19 11	☽⊻☉	g
23	0 40	☽□♄	B
Mo	6 49	☉Q♇	
	7 57	♀∥♃	
	9 35	☽∠☿	b
	12 34	☽⊻♂	g
	14 08	☽⚹♆	G
	20 24	☿∥♇	
	21 53	☽☌♀	G
	22 09	☽∠♅	b
24	1 01	♀∠♅	
Tu	1 46	☽∠☉	b
	6 01	☽△♇	G
	7 26	☽∥♃	G
	9 33	☽∥♀	G
	13 43	♂#♆	
	17 42	☽#☉	G
	18 55	☽⚹☿	G
	21 30	☽♉	
	21 32	♂□♆	
	21 35	☽⊡♃	b
25	0 52	☽#♅	B
We	3 18	☽⚹♅	G
	9 30	☽⚹☉	G
	10 04	☽⚹♄	G
	11 18	☽⊡♇	b
	12 01	☽#☿	G
	12 58	☿♓	
	16 15	☉△♄	
	17 04	☽#♇	D
26	0 39	☽□♆	B
Th	2 05	☽☌♂	B
	2 55	☽△♃	G
	4 35	☽#♆	D
	6 30	☽∥♂	B
	14 29	♀±♃	
	14 52	☽⊻♀	g
	15 13	♂△♃	
	15 57	☽∠♄	b
	16 01	☉#♀	
27	0 33	♂Q♅	
Fr	6 21	☿☌♅	
	9 16	☿Q♂	
	9 22	☽♊	
	15 40	☽□♅	B

Day	Time	Aspect	
	16 32	♀△♇	
	17 18	☽□☿	B
	17 53	☽∥♄	B
	19 20	☿Q♇	
	22 17	☽⊻♄	g
28	0 28	☽∠♀	b
Sa	3 24	☽□☉	B
	13 29	☽△♆	G
	14 04	♂±♇	
	14 57	☽□♃	B
	18 15	☽⊻♂	g
29	1 23	☿△♄	
Su	2 14	☿∥♅	
	6 13	☽☍♇	B
	10 08	☽⚹♀	G
	16 44	♀Q♄	
	19 57	☽⊡♆	b
	22 12	☽♋	
	22 15	☿#♀	

MARCH

Day	Time	Aspect	
1	2 18	☽∠♂	b
Mo	4 20	☉#♃	
	4 44	☽△♅	G
	10 52	☽☌♄	B
	16 58	☽△☿	G
	21 27	☽△☉	G
2	2 27	♀#♅	
Tu	2 35	☽⚹♃	G
	2 42	♀Q♆	
	9 45	☽⚹♂	G
	10 38	☽⊡♅	b
3	3 41	☽⊡☿	b
We	3 42	☽□♀	B
	3 50	☿∠♀	
	5 24	☽⊡☉	b
	7 32	☽∠♃	b
	9 18	☽♌	
	21 19	☽⊻♄	g
	22 53	☽⊡♇	b
4	0 10	♃⊽♆	
Th	1 43	☉☌☿	
	3 15	☽∥♄	B
	3 36	☿☍♃	
	3 54	☿⊻♆	
	5 05	☉☍♃	
	5 56	☉⊻♆	
	11 27	☿#♃	
	11 41	☽⊻♃	g
	11 50	☽☍♆	B
	18 18	♀⊡♃	
	22 02	☽□♂	B
5	1 22	☽∠♄	b
Fr	2 56	☽△♇	G
	4 22	☽∥♂	B
	14 12	☽#♆	D
	17 13	☽△♀	G
	17 18	☽♍	
	18 12	♀♉	
	23 40	☽☍♅	B
6	0 27	☽#♇	D
Sa	4 39	☽⚹♄	G
	7 11	☽∥♀	G
	16 02	☽#♅	B
	17 46	☽☌♃	G
	22 30	☽⊡♀	b
	23 14	☽☍☉	B
7	4 38	☽∥♃	G
Su	4 41	☽☍☿	B

Day	Time	Aspect	
	6 47	☽△♂	G
	8 18	☿⊥♆	
	8 49	☽□♇	B
	15 06	☉∥☿	
	15 35	☽#☉	G
	15 37	☽#☿	G
	16 49	♄Stat	
	17 19	♂∠♄	
	20 59	☽⊡♆	b
	22 31	☽♎	
8	1 41	☿⚹♂	
Mo	9 25	☽□♄	B
	9 51	☿□♇	
	10 11	☽⊡♂	b
	21 35	☽⊻♃	g
	22 58	☽△♆	G
9	0 30	☽∥☿	G
Tu	2 37	♀⚹♅	
	2 43	♂⊽♇	
	2 55	☽∥☉	G
	6 46	☽⊡♅	b
	12 43	☽⚹♇	G
	14 35	♀#♇	
	16 12	☽#♃	G
	23 00	☽∠♃	b
10	2 03	☽♏	
We	3 29	☽∥♅	B
	8 28	☽△♅	G
	10 50	☉⊥♆	
	10 50	☽☍♀	B
	10 54	☽⊡☉	b
	12 45	☽△♄	G
	14 16	☽∠♇	b
	18 23	☽∥♇	D
	19 51	☉∠♀	
	20 46	☽#♀	G
	22 40	☽⊡☿	b
11	0 16	☽⚹♃	G
Th	2 13	☽□♆	B
	3 42	☽∥♆	D
	11 44	♀⚹♄	
	14 12	☽⊡♄	b
	14 17	☽△☉	G
	15 44	☽⊻♇	g
	18 35	☽☍♂	B
	18 35	☽#♂	B
12	0 37	☿∠♆	
Fr	4 11	☽△☿	G
	4 57	☽♐	
	7 42	♀⊡♇	
	9 44	☿♈	
	10 55	☉□♇	
	11 32	☽□♅	B
	11 35	☽#♄	B
13	2 40	☽□♃	B
Sa	5 10	☽⚹♆	G
	18 37	☽☌♇	D
	21 01	☽□☉	B
	21 10	☿⊥♀	
	21 30	☽⊡♀	b
14	6 42	☽∠♆	b
Su	7 51	☽♑	
	10 49	☿⊻♅	
	11 31	♀#♆	
	14 41	☽⚹♅	G
	15 17	☽□☿	B
	18 39	☽☍♄	B
15	1 08	☽△♀	G
Mo	2 38	☽⊡♂	b

Day	Time	Aspect	
	5 14	☽△♃	G
	6 18	☉#☿	
	8 20	☽⊻♆	g
	15 57	☿□♄	
	16 23	☽∠♅	b
	21 48	☽⊻♇	g
16	4 08	☽⚹☉	G
Tu	5 34	☽△♂	G
	6 43	☽⊡♃	b
	11 10	☽♒	
	18 17	☽⊻♅	g
	23 39	☽∠♇	b
17	2 00	♀△♃	
We	2 56	☽⚹☿	G
	3 41	☽#♄	B
	8 02	☽∠☉	b
	9 00	☽□♀	B
	12 08	☽☌♆	D
	16 16	☽#♂	B
	16 21	☿⊥♅	
18	0 17	☽⊡♄	b
Th	1 46	☽⚹♇	G
	5 39	☽#♀	G
	9 13	☽∠☿	b
	9 47	☉⚹♂	
	12 15	☽□♂	B
	12 19	☽⊻☉	g
	13 09	☽∥♆	D
	15 26	☽♓	
	17 31	☿⊽♃	
	20 39	♅Q♇	
	22 44	☽∥♇	D
	22 56	☽☌♅	B
19	2 47	☽△♄	G
Fr	3 02	♀□♆	
	12 48	☽☍♃	B
	15 07	☽∥♅	B
	16 01	☽⊻☿	g
	17 15	☽⊻♆	g
	18 26	☽⚹♀	G
	18 29	☉∠♆	
	18 53	☿∠♂	
20	0 18	☽#♃	G
Sa	1 22	☿⚹♆	
	6 49	☉♈	
	7 16	☽□♇	B
	7 40	☽#☿	G
	19 39	♀±♇	
	20 36	☽∠♆	b
	20 57	☽⚹♂	G
	21 29	☽♈	
	22 03	♀Q♅	
	22 41	☽☌☉	D
21	0 07	☽∠♀	b
Su	5 32	☽⊻♅	g
	7 39	♂♊	
	8 27	☽#☉	G
	9 26	☽□♄	B
	10 35	☿⊻♀	
	12 06	☽∥☉	G
	22 39	☿±♃	
22	0 37	☽⚹♆	G
Mo	1 35	♂⊥♄	
	2 24	☽∠♂	b
	6 40	☽⊻♀	g
	7 49	☽☌☿	G
	9 51	☽∠♅	b
	14 52	☿∥♃	
	15 13	☽△♇	G

Day	Time	Aspect	
	21 31	☽∥♃	G
	22 35	☽∥☿	G
	23 36	☽⚼♃	b
23 Tu	0 16	☿∠♅	
	6 09	☽♉	
	6 25	☽#♅	B
	8 42	☽⊻♂	g
	12 24	☽⊻☉	g
	14 53	☽⚹♅	G
	18 52	☽⚹♄	G
	20 17	☽⚼♇	b
24 We	0 26	☽#♇	D
	4 35	☽△♃	G
	10 49	☽□♆	B
	10 50	☽#♆	D
	15 11	♇Stat	
	20 36	☽∠☉	b
	20 40	☿△♇	
	20 54	☉⊻♅	
	22 29	☽☌♀	G
25 Th	0 38	☽∠♄	b
	2 43	☽⊻☿	g
	6 15	☿#♅	
	11 10	☽∥♀	G
	17 34	☽♊	
	17 59	☽∥♂	B
	23 36	☽•♂	B
26 Fr	0 54	♀∠♄	
	1 00	☽∥♄	B
	2 54	☽□♅	B
	5 29	☽⚹☉	G
	6 55	☽⊻♄	g
	12 49	☽∠☿	b
	14 48	☿Q♄	
	16 14	☽□♃	B
	16 17	♀⚻♇	
	23 15	☉□♄	
	23 19	☽△♆	G
27 Sa	14 40	☽☍♇	B
	16 44	☽⊻♀	g
	19 39	☿⚼♃	
	22 44	☽⚹☿	G
28 Su	5 49	☽⚼♆	b
	6 23	☽♋	
	9 38	☿Q♆	
	15 53	☽⊻♂	g
	15 59	☽△♅	G
	17 40	♂□♅	
	19 55	☽☌♄	B
	23 48	☽□☉	B
29 Mo	1 49	☽∠♀	b
	4 25	☽⚹♃	G
	22 06	☽⚼♅	b
	23 34	☽∠♂	b
30 Tu	9 56	☽∠♃	b
	10 14	☽⚹♀	G
	11 28	♀∥♂	
	16 00	☽□☿	B
	18 07	☽♌	
31 We	2 53	☉⚻♃	
	6 18	☉⊥♅	
	6 27	☽⚹♂	G
	7 17	☽⊻♄	g
	8 06	☽⚼♇	b
	13 01	☽∥♄	B
	13 37	☽∥♀	G
	14 43	☽⊻♃	g
	14 57	☽∥♂	B
	15 49	☽△☉	G
	20 35	♀∥♄	
	22 33	☽☍♆	B
	23 42	♂⊻♄	

APRIL

Day	Time	Aspect	
1 Th	2 27	☿♉	
	11 44	☽∠♄	b
	12 26	☽△♇	G
	18 36	☿#♇	
	22 12	☽⚼☉	b
	23 56	☽□♀	B
2 Fr	1 12	☽#♆	D
	2 45	☽♍	
	3 56	☽△☿	G
	9 51	☽∥☿	G
	10 41	☽#♇	D
	11 49	☽☍♅	B
	15 16	☽⚹♄	G
	17 07	☽□♂	B
	21 40	☽☌♃	G
3 Sa	3 58	☽#♅	B
	4 03	♂∥♄	
	7 51	☽⚼☿	b
	9 34	☽∥♃	G
	14 57	♀♊	
	18 23	☽□♇	B
	22 17	☽∥☉	G
4 Su	7 41	☽⚼♆	b
	7 52	☽♎	
	8 06	☉⚹♆	
	9 05	☽△♀	G
	16 39	♀⊥♄	
	19 52	☽□♄	B
	23 54	☽△♂	G
5 Mo	1 24	☽⊻♃	g
	9 14	☽△♆	G
	11 03	☽☍☉	B
	12 20	☽⚼♀	b
	14 01	☿⊻♀	
	16 28	☉±♃	
	17 59	☽⚼♅	b
	19 07	☽#☉	G
	21 26	☽⚹♇	G
6 Tu	2 15	☽⚼♂	b
	2 24	☽∠♃	b
	4 55	☽#♃	G
	5 16	♂□♃	
	9 36	☽∥♅	B
	10 24	☽♏	
	13 35	☽☍☿	B
	18 59	☽△♅	G
	20 28	☿Stat	
	22 11	☽△♄	G
	22 18	☽∠♇	b
7 We	1 35	☽∥♇	D
	3 06	☽⚹♃	G
	4 47	☽#☿	G
	10 00	☽∥♆	D
	11 06	☽□♆	B
	22 58	☽⚼♄	b
	23 00	☽⊻♇	g
8 Th	11 50	☽♐	
	17 37	☽#♄	B
	18 52	☽⚼☉	b
	19 43	☽☍♀	B
	20 32	☽□♅	B
	21 04	☽#♂	B
9 Fr	4 13	☽□♃	B
	7 53	☽☍♂	B
	8 26	☽#♀	G
	9 51	♀□♅	
	12 36	☽⚹♆	G
	15 05	☽⚼☿	b
	20 45	☉∠♅	
	21 28	☽△☉	G
10 Sa	0 29	☽☌♇	D
	13 33	☽♑	
	13 36	☽∠♆	b
	15 30	☽△☿	G
	22 34	☽⚹♅	G
11 Su	1 55	☽☍♄	B
	5 55	☿⊥♀	
	6 00	☽△♃	G
	14 55	☽⊻♆	g
	17 33	☉△♇	
	19 27	♀⊻♄	
	22 20	☿#♇	
12 Mo	0 05	☽∠♅	b
	3 03	☽⊻♇	g
	3 46	☽□☉	B
	4 00	☽⚼♀	b
	7 26	☽⚼♃	b
	12 24	☽#♀	G
	15 17	☽⚼♂	b
	16 33	☽♒	
	16 53	☽□☿	B
13 Tu	1 23	☿♈	
	2 01	☽⊻♅	g
	3 28	☉∠♀	
	3 46	☽#♂	B
	4 57	☽∠♇	b
	7 39	☽△♀	G
	9 55	☽#♄	B
	10 23	☉∥♃	
	10 28	☿∠♂	
	18 43	☽△♂	G
	18 52	☽☌♆	D
	22 02	♂△♆	
14 We	4 56	☉⚼♃	
	7 20	☽⚹♇	G
	8 06	☽⚼♄	b
	8 57	♀□♃	
	12 14	☽⚹☉	G
	19 27	☽⚹☿	G
	20 23	☽∥♆	D
	21 24	☽♓	
15 Th	5 35	☽∥♇	D
	6 32	☉Q♄	
	7 25	☽☌♅	B
	11 12	☽△♄	G
	11 31	☽#☿	G
	14 34	☽☍♃	B
	16 41	☽□♀	B
	17 26	☽∠☉	b
	21 18	☽∠☿	b
	22 46	☉#♅	
	23 43	☽#☉	G
	23 47	☽∥♅	B
16 Fr	0 51	☽⊻♆	g
	3 19	☽#♃	G
	3 23	☽□♂	B
	13 43	☽□♇	B
	19 33	☉Q♆	
	23 21	☽⊻☉	g
	23 34	☽⊻☿	g
17 Sa	1 05	☉☌☿	
	4 24	☽♈	
	4 40	☽∠♆	b
	8 17	☿Q♆	
	10 53	☿∠♀	
	15 02	☽⊻♅	g
	19 05	☽□♄	B
18 Su	4 16	☽⚹♀	G
	9 05	☽⚹♆	G
	14 40	☽⚹♂	G
	19 42	☽∠♅	b
	22 21	☽△♇	G
19 Mo	2 02	☿Q♄	
	2 11	☉∥☿	
	2 40	☽⚼♃	b
	5 32	☽☌☿	G
	8 36	☽∥♃	G
	11 02	☽∠♀	b
	11 52	☽#♅	B
	13 21	☽•●	D
	13 42	☽♉	
	15 44	☽∥☿	G
	17 50	☉♉	
	18 04	☽∥☉	G
	21 19	☽∠♂	b
20 Tu	0 57	☽⚹♅	G
	3 31	☽⚼♇	b
	5 20	☽⚹♄	G
	7 27	☽#♇	D
	7 50	☽△♃	G
	17 24	☽#♆	D
	18 25	☽⊻♀	g
	19 36	☽□♆	B
21 We	4 35	☽⊻♂	g
	9 50	☿#♅	
	11 16	☽∠♄	b
	13 33	☽⊻☿	g
	14 00	☿⚼♃	
	14 17	♀△♆	
22 Th	1 10	☽♊	
	6 06	☽⊻☉	g
	7 55	☽∥♄	B
	12 57	☽□♅	B
	17 38	☽⊻♄	g
	18 16	☽∠☿	b
	18 30	☿∥♃	
	19 37	☽□♃	B
	20 03	☽∥♂	B
23 Fr	7 57	☽△♆	G
	10 34	☽☌♀	G
	15 10	☽∠☉	b
	20 30	☽☌♂	B
	21 42	☽☍♇	B
	23 22	☽⚹☿	G
24 Sa	11 10	☽∥♀	G
	13 56	☽♋	
	14 26	☽⚼♆	b
	18 10	♂☍♇	
25 Su	0 21	☽⚹☉	G
	1 58	☽△♅	G
	4 30	☿⚹♂	
	6 54	☽☌♄	B
	8 18	☽⚹♃	G
	16 36	☽∥♀	G
	20 40	☉⚹♅	
	22 19	☿△♇	
26 Mo	2 57	☽⊻♀	g
	8 17	☽⚼♅	b
	9 56	☽□☿	B
	12 33	☽⊻♂	g
	14 22	☽∠♃	b
	21 09	☉⚼♇	

Day	Time	Aspect	
27 Tu	2 14	☽♌	
	8 47	☽∥♂	B
	10 25	☽∠♀	b
	15 54	☽⚼♇	b
	17 32	☽□☉	B
	19 05	☽⊻♄	g
	19 48	☽∠♂	b
	19 54	☽⊻♃	g
	22 16	☽∥♄	B
28 We	8 06	☽☍♆	B
	8 35	☉#♇	
	14 52	☉⚹♄	
	16 58	☽⚹♀	G
	19 29	☽△☿	G
	20 48	☽△♇	G
	22 54	☉△♃	
29 Th	0 08	☽∠♄	b
	2 08	☽⚹♂	G
	11 20	☽#♆	D
	12 00	☽♍	
	18 42	☽∥☉	G
	20 44	☽#♇	D
	23 19	☽☍♅	B
	23 21	☽⚼☿	b
30 Fr	4 13	☽⚹♄	G
	4 32	☽☌♃	G
	6 56	☽△☉	G
	9 21	☿∠♅	
	13 05	☿Stat	
	15 33	☽#♅	B
	17 35	☽∥♃	G
	20 02	☿⚹♀	

MAY

Day	Time	Aspect	
1 Sa	0 05	☉∠♂	
	2 43	☽□♀	B
	3 48	☽□♇	B
	5 11	☽∥☿	G
	11 31	☽□♂	B
	11 36	☿∠♅	
	11 49	☽⚼☉	b
	18 03	☽♎	
	18 37	☽⚼♆	b
	20 30	♃⚹♄	
2 Su	6 03	♀☍♇	
	9 25	☽⊻♃	g
	9 30	☽□♄	B
	12 27	♂Q♃	
	20 16	☽△♆	G
3 Mo	5 04	☽#☿	G
	6 06	☽⚼♅	b
	6 27	☽☍☿	B
	7 10	☽⚹♇	G
	8 05	☽△♀	G
	10 37	☽∠♃	b
	16 44	☽#♃	G
	16 49	☽△♂	G
	18 28	☽∥♅	B
	20 38	☽♏	
4 Tu	6 50	☽△♅	G
	7 48	☽∠♇	b
	9 32	☽⚼♀	b
	11 12	☽⚹♃	G
	11 17	☽∥♇	D
	11 37	☽△♄	G
	17 46	☿△♇	
	18 23	☽⚼♂	b
	19 13	☽#☉	G
	19 25	☽∥♆	D

Day	Time	Aspect	
	20 33	☽☍☉	B
	21 37	☽□♆	B
	23 20	☉#♆	
5 We	3 07	♃Stat	
	8 00	☽⊻♇	g
	11 57	☽⚼♄	b
	12 49	☉□♆	
	21 08	☽♐	
	23 39	☉±♇	
6 Th	2 15	☽#♄	B
	7 12	☽□♅	B
	9 03	☽⚼☿	b
	11 24	☽□♃	B
	12 20	♄±♆	
	14 34	☽#♂	B
	21 43	☽✱♆	G
7 Fr	7 59	☽☌♇	D
	8 45	♂♋	
	9 54	☽△☿	G
	11 50	☽☍♀	B
	21 16	☽♑	
	21 50	☽☍♂	B
	21 52	☽∠♆	b
	22 43	♂⚼♆	
8 Sa	1 50	☽⚼☉	b
	7 35	☽✱♅	G
	11 48	☽△♃	G
	12 49	☽☍♄	B
	15 19	☉Q♅	
	22 23	☽⊻♆	g
	22 36	☉⊥♀	
9 Su	2 48	☿⚼♃	
	4 10	☽△☉	G
	8 19	☽∠♅	b
	8 54	☽⊻♇	g
	12 36	☽⚼♃	b
	13 03	☽□☿	B
	22 46	☽♒	
10 Mo	3 08	☽#♂	B
	9 38	☽⊻♅	g
	10 09	☽∠♇	b
	16 04	☽⚼♀	b
	16 29	☽#♄	B
	23 47	☿✱♀	
11 Tu	1 06	☽☌♆	D
	4 40	☽⚼♂	b
	11 04	☽□☉	B
	12 06	☽✱♇	G
	17 35	☽#☉	G
	17 45	☽⚼♄	b
	18 43	☽△♀	G
	19 31	☽✱☿	G
12 We	1 27	☉⊽♇	
	2 18	☽‖♆	D
	2 52	☽♓	
	8 32	☽△♂	G
	11 26	☽‖♇	D
	14 29	☽☌♅	B
	19 06	☽☍♃	B
	20 53	☽△♄	G
13 Th	0 20	☽∠☿	b
	6 36	☽‖♅	B
	6 47	☽⊻♆	g
	8 26	☽#♃	G
	14 20	☿Q♆	
	16 14	☽#☿	G
	18 20	☽□♇	B
	21 44	☽✱☉	G
14	2 14	☽□♀	B

Day	Time	Aspect	
Fr	6 16	☽⊻☿	g
	9 58	☿Q♄	
	10 02	☽♈	
	10 47	☽∠♆	b
	18 57	☽□♂	B
	22 23	☽⊻♅	g
15 Sa	4 27	☽∠☉	b
	5 30	☽□♄	B
	15 27	☽✱♆	G
	19 37	☉∠♄	
16 Su	3 22	☽∠♅	b
	3 27	☽△♇	G
	6 54	☿♉	
	8 23	☽⚼♃	b
	10 47	☽‖☿	G
	11 59	☽⊻☉	g
	12 17	☽✱♀	G
	14 47	☽‖♃	G
	15 59	☉⊻♀	
	16 50	☽#♅	B
	19 57	☽♉	
	21 11	☽☌☿	G
17 Mo	8 26	☽✱♂	G
	8 52	☽⚼♇	b
	8 54	☽✱♅	G
	12 24	♆Stat	
	13 32	☽#♇	D
	14 02	☽△♃	G
	16 42	☽✱♄	G
	17 28	♂△♅	
	17 59	☽∠♀	b
	22 28	♀Stat	
	23 38	☽#♆	D
18 Tu	2 28	☽□♆	B
	16 01	☽∠♂	b
	16 01	☿‖♃	
	18 49	☽‖☉	G
	22 58	☽∠♄	b
	23 58	☽⊻♀	g
19 We	4 52	☽☌☉	D
	7 47	☽♊	
	13 46	☽‖♄	B
	15 22	☽⊻☿	g
	18 32	☿#♅	
	21 07	☽□♅	B
	23 57	☽⊻♂	g
20 Th	2 29	☽□♃	B
	3 50	☽‖♂	B
	5 32	☽⊻♄	g
	14 55	☽△♆	G
	16 59	☉♊	
21 Fr	1 17	☽∠☿	b
	3 14	☽☍♇	B
	6 40	☽‖♀	G
	12 13	☽•♀	G
	19 01	☿⚼♇	
	20 35	☽♋	
	21 22	☽⚼♆	b
	22 43	☿✱♅	
	23 01	☽⊻☉	g
22 Sa	3 05	♂✱♃	
	4 35	♂±♆	
	10 04	☽△♅	G
	11 28	☽✱☿	G
	15 35	☽✱♃	G
	16 14	☽☌♂	B
	18 58	☽☌♄	B
23 Su	8 05	☽∠☉	b
	16 25	☽⚼♅	b

Day	Time	Aspect	
	18 58	☽‖♀	G
	22 00	☽∠♃	b
	23 55	☽⊻♀	g
24 Mo	0 51	☿△♃	
	9 07	☽♌	
	14 33	☿∠♀	
	16 46	☽✱☉	G
	17 44	☽‖♂	B
	21 47	☽⚼♇	b
25 Tu	4 01	☽⊻♃	g
	5 08	☽∠♀	b
	5 40	♂☌♄	
	6 07	☽‖♄	B
	7 28	☽□☿	B
	7 35	☽⊻♄	g
	7 41	☽⊻♂	g
	8 39	☿✱♄	
	10 33	☿✱♂	
	15 33	☽☍♆	B
	16 18	☽‖☉	G
26 We	3 10	☽△♇	G
	8 49	☉⊥♄	
	9 42	☽✱♀	G
	13 05	☽∠♄	b
	14 27	☽∠♂	b
	18 59	☽#♆	D
	19 52	☽♍	
27 Th	4 50	☽#♇	D
	7 48	☽‖☿	G
	7 57	☽□☉	B
	8 36	☽☍♅	B
	14 09	☽☌♃	G
	16 43	☉□♅	
	17 46	☽✱♄	G
	20 18	☽✱♂	G
	23 59	☿±♇	
28 Fr	0 42	☽△☿	G
	0 46	☽#♅	B
	1 14	☿□♆	
	3 32	☽‖♃	G
	3 47	☉⊥♂	
	11 05	☿#♇	
	11 37	☽□♇	B
	16 17	☽□♀	B
29 Sa	3 22	☽♎	
	4 01	☽⚼♆	b
	7 35	☽⚼☿	b
	9 57	☿⊥♀	
	18 47	☽△☉	G
	20 43	☽⊻♃	g
30 Su	0 16	☽□♄	B
	3 58	☿Q♅	
	4 45	☽□♂	B
	6 18	☽△♆	G
	16 21	☽✱♇	G
	17 15	☽⚼♅	b
	19 09	☽△♀	G
	22 27	☽⚼☉	b
	22 35	☽∠♃	b
31 Mo	0 34	☉□♃	
	1 19	☽#♃	G
	4 06	☽‖♅	B
	7 08	☽♏	
	14 43	♂⊽♆	
	15 08	☿⊽♇	
	17 23	☽∠♇	b
	18 19	☽△♅	G
	19 19	☽⚼♀	b
	21 40	☽‖♇	D

Day	Time	Aspect	
	23 37	☽✱♃	G
JUNE			
1 Tu	0 26	☿#♆	
	3 05	☽△♄	G
	4 43	☿⊻♀	
	6 08	☽‖♆	D
	6 47	☽#☿	G
	8 20	☽□♆	B
	9 08	☽△♂	G
	17 44	☽⊻♇	g
	21 16	☽☍☿	B
2 We	3 27	☽⚼♄	b
	7 52	☽♐	
	10 14	☽⚼♂	b
	10 17	☽#☉	G
	11 42	☉⊻♄	
	11 55	☽#♄	B
	18 19	☽#♂	B
	18 36	☽□♅	B
	22 14	☽#♀	G
	23 56	☽□♃	B
3 Th	1 28	♀☍♇	
	4 20	☽☍☉	B
	8 05	☽✱♆	G
	16 39	☽☍♀	B
	17 12	☽☌♇	D
4 Fr	4 15	☿∠♄	
	7 12	☽♑	
	7 41	☽∠♆	b
	17 53	☉‖♄	
	17 55	☽✱♅	G
	23 30	☽△♃	G
5 Sa	3 07	☽☍♄	B
	6 08	☽⚼☿	b
	7 27	☽⊻♆	g
	12 28	☽☍♂	B
	12 47	☿♊	
	15 40	☉△♆	
	16 41	☽⊻♇	g
	17 51	☽∠♅	b
	23 41	☽⚼♃	b
6 Su	3 58	♀‖♂	
	7 09	☽♒	
	8 45	☽⚼☉	b
	9 54	☽△☿	G
	12 03	♀⊻♂	
	13 44	☽⚼♀	b
	17 03	☽∠♇	b
	18 18	☽⊻♅	g
	20 13	☽#♂	B
	21 07	☽#♀	G
	23 28	☽#☉	G
7 Mo	0 59	☽#♄	B
	8 27	☽☌♆	D
	11 25	☽△☉	G
	13 42	☽△♀	G
	14 27	☽#☿	G
	18 09	☽✱♇	G
	21 39	☉‖♀	
8 Tu	3 47	☿∠♂	
	6 06	☽⚼♄	b
	8 28	☽‖♆	D
	8 43	☉☌♀	
	9 38	☽♓	
	17 43	☽‖♇	D
	19 17	☽⚼♂	b
	21 08	☽□☿	B
	21 34	☽☌♅	B

Day	Time	Aspect	
9 We	0 05	☿□♅	
	3 08	♀‖♄	
	3 20	☿⊥♄	
	4 31	☽☍♃	B
	8 48	☽△♄	G
	12 26	♂⊽♇	
	12 42	☽⊻♆	g
	12 47	☽‖♅	B
	15 59	☽□♀	B
	17 11	☽#♃	G
	19 20	☉‖♂	
	20 02	☽□☉	B
	23 03	☽□♇	B
	23 37	☽△♂	G
10 Th	15 49	♅Stat	
	15 49	☽♈	
	16 16	☽∠♆	b
	20 23	♂⚼♅	
	23 51	☿□♃	
11 Fr	4 23	☿‖♀	
	4 38	☽⊻♅	g
	6 51	♀⊥♂	
	12 24	☉☍♇	
	14 56	☽✱☿	G
	17 13	☽□♄	B
	20 45	☽✱♆	G
	21 40	☽✱♀	G
12 Sa	5 12	☿⊻♄	
	7 44	☽△♇	G
	9 24	☽✱☉	G
	9 30	☽∠♅	b
	10 38	☿‖♄	
	11 31	☽□♂	B
	16 31	☽‖♃	G
	17 07	♀△♆	
	17 51	☽⚼♃	b
	21 49	☽#♅	B
	23 24	☿☌♀	
	23 25	☿‖♂	
13 Su	1 05	☿△♆	
	1 37	☽♉	
	1 37	☽∠♀	b
	2 13	☽∠☿	b
	13 12	☽⚼♇	b
	15 05	☽✱♅	G
	17 31	☽∠☉	b
	18 53	☽#♇	D
	23 52	☽△♃	G
14 Mo	4 52	☽✱♄	G
	5 31	☽#♆	D
	6 08	☽⊻♀	g
	7 52	☽□♆	B
	8 12	☿⊥♂	
	13 33	☉‖☿	
	14 41	☽⊻☿	g
15 Tu	2 15	☽⊻☉	g
	2 34	☽✱♂	G
	4 32	♀⊻♄	
	6 28	☽‖♀	G
	7 08	♂‖♄	
	11 25	☽∠♄	b
	13 15	☉⊻♂	
	13 44	☽♊	
	15 06	☿☍♇	
	17 32	☽‖♂	B
	17 51	☽‖♄	B
16 We	0 51	☽‖☉	G
	3 29	☽□♅	B
	4 39	☽‖☿	G

Day	Time	Aspect	
	10 40	☽∠♂	b
	13 01	☽□♃	B
	16 12	☽☌♀	G
	18 10	☽⊻♄	g
	20 29	☽△♆	G
17 Th	7 51	☽☍♇	B
	17 14	☽☌☿	G
	18 51	☽⊻♂	g
	20 27	☽☌☉	D
18 Fr	2 37	☽♋	
	2 54	☽⚼♆	b
	4 47	☿⊻♂	
	15 42	♂±♇	
	16 18	♂∠♃	
	16 20	☽△♅	G
	21 24	☉☌☿	
19 Sa	1 05	♀∠♂	
	2 28	☽✱♃	G
	2 46	☽⊻♀	g
	7 37	☽☌♄	B
	9 29	♀□♃	
	18 18	☿Q♃	
	19 49	☿♋	
	20 59	☿⚼♆	
	22 34	☽⚼♅	b
20 Su	7 59	☽∠♀	b
	8 57	☽∠♃	b
	10 46	☽☌♂	B
	14 14	☽⊻☉	g
	15 05	☽♌	
	18 25	☽∥☿	G
	19 22	☽⊻☿	g
21 Mo	0 57	☉♋	
	1 28	☉Q♃	
	2 21	☽⚼♇	b
	3 06	☉⚼♆	
	5 07	☽∥☉	G
	13 00	☽✱♀	G
	13 09	☽∥♄	B
	15 07	☽⊻♃	g
	18 00	☽∥♂	B
	20 11	☽⊻♄	g
	21 00	☽☍♆	B
	22 33	☽∠☉	b
22 Tu	7 30	☽∠☿	b
	7 54	☽△♇	G
	10 00	☽∥♀	G
	22 11	☿△♅	
23 We	0 01	☽#♆	D
	1 10	☽⊻♂	g
	1 48	☽∠♄	b
	2 10	☽♍	
	6 16	☽✱☉	G
	10 33	☽#♇	D
	15 07	☽☍♅	B
	18 38	☽✱☿	G
	20 50	♂♌	
	22 02	☽□♀	B
	23 58	☿±♆	
24 Th	1 57	☽☌♃	G
	6 48	☽✱♄	G
	6 49	☽#♅	B
	7 23	☽∠♂	b
	13 11	☿⊻♀	
	14 30	☽∥♃	G
	16 42	♄⊽♆	
	17 19	☽□♇	B
25 Fr	0 03	♂±♅	
	10 50	☽♎	
	10 51	☽⚼♆	b
	12 45	☽✱♂	G
	16 48	☿✱♃	
	19 08	☽□☉	B
26 Sa	4 50	☽△♀	G
	9 53	☽⊻♃	g
	12 48	☽□☿	B
	13 56	☽△♆	G
	14 26	☽□♄	B
	20 11	☿⊽♆	
	23 41	☽✱♇	G
27 Su	0 07	☿☌♄	
	1 46	☽⚼♅	b
	5 03	☽#♃	G
	5 27	☿⊥♀	
	7 09	☽⚼♀	b
	12 32	☽∠♃	b
	12 42	☽∥♅	B
	16 13	☽♏	
	20 31	☽□♂	B
28 Mo	0 55	☉△♅	
	1 34	☽∠♇	b
	3 37	☽△♅	G
	3 49	☽△☉	G
	6 43	☽∥♇	D
	14 18	☽✱♃	G
	15 56	☽∥♆	D
	17 31	☽□♆	B
	18 31	☽△♄	G
	23 00	☽#♀	G
29 Tu	0 57	☽△☿	G
	2 38	☽⊻♇	g
	6 36	☽⚼☉	b
	10 21	♀⊥♄	
	11 13	☽#♂	B
	13 11	☿⊽♇	
	18 15	☽♐	
	19 22	☽⚼♄	b
	20 13	☽#♄	B
	23 15	♀Stat	
30 We	0 31	☽△♂	G
	1 35	☽#☉	G
	4 00	☿⚼♅	
	4 08	☽#☿	G
	4 59	☽□♅	B
	5 07	☽⚼☿	b
	9 11	☉±♆	
	9 46	☽☍♀	B
	15 38	☽□♃	B
	18 10	☽✱♆	G
JULY			
1 Th	1 30	☽⚼♂	b
	2 53	☽☌♇	D
	3 52	☉⊻♀	
	17 50	☽∠♆	b
	17 55	☿∠♀	
	18 01	☽♑	
	18 33	☉∥☿	
2 Fr	4 25	☽✱♅	G
	9 18	♂⚼♇	
	11 09	☽☍☉	B
	15 14	☿±♇	
	15 24	☽△♃	G
	17 23	☽⊻♆	g
	19 17	☽☍♄	B
3 Sa	2 03	☽⊻♇	g
	4 01	☽∠♅	b
	9 10	☽⚼♀	b
	14 24	☽☍☿	B
	15 21	☽⚼♃	b
	17 22	☽♒	
	22 49	☿∠♃	
4 Su	0 22	☿∥♄	
	1 53	☽∠♇	b
	3 44	☽☍♂	B
	3 54	☽⊻♅	g
	7 27	♂⊽♅	
	8 05	☽#☉	G
	9 25	☽△♀	G
	11 54	☽#♄	B
	13 07	☽#☿	G
	14 52	☿♌	
	17 15	☽☌♆	D
	22 24	☿±♅	
5 Mo	0 58	☽#♂	B
	2 15	☽✱♇	G
	10 57	☽#♀	G
	15 57	☽∥♆	D
	16 42	☽⚼☉	b
	18 26	☽♓	
	18 59	☉✱♃	
	20 55	☽⚼♄	b
6 Tu	1 27	☽∥♇	D
	5 33	☽☌♅	B
	12 15	☽□♀	B
	12 56	☉⊽♆	
	18 51	☽☍♃	B
	19 33	☽∥♅	B
	19 49	☽⊻♆	g
	20 21	☽△☉	G
	23 01	♂⊥♃	
	23 03	☽△♄	G
7 We	4 08	☽⚼☿	b
	5 29	☽□♇	B
	5 56	☽#♃	G
	11 25	☽⚼♂	b
	13 04	♀⊥♄	
	14 44	☿⚼♇	
	22 35	☽∠♆	b
	23 03	☽♈	
8 Th	8 37	☿⊽♅	
	11 00	☽⊻♅	g
	11 22	☽△☿	G
	16 17	☽△♂	G
	16 38	☉☌♄	
	19 30	☽✱♀	G
	23 29	☉⊥♀	
9 Fr	2 25	☽✱♆	G
	6 34	☽□♄	B
	7 34	☽□☉	B
	12 51	☽△♇	G
	15 18	☽∠♅	b
	15 49	☽∥♃	G
	16 12	☿⊥♃	
	21 11	♃⊽♆	
10 Sa	0 56	☽∠♀	b
	3 55	☽#♅	B
	7 23	☽⚼♃	b
	7 51	☽♉	
	18 00	☽⚼♇	b
	20 30	☽✱♅	G
	23 50	☿☌♂	
11 Su	0 19	☽#♇	D
	1 28	☉∥♄	
	5 25	☽□♂	B
	5 55	☽□☿	B
	7 23	☽⊻♀	g
	10 02	☿∥♂	
	11 34	☽#♆	D
	12 51	☽□♆	B
	13 28	☽△♃	G
	17 26	☽∥♀	G
	17 59	☽✱♄	G
	20 30	☿✱♀	
	21 33	☽∥☿	G
	22 30	☽∥♂	B
	23 29	☽✱☉	G
12 Mo	3 51	☉⊽♇	
	18 59	☽∥☉	G
	19 45	☽♊	
	20 27	☽∥♄	B
13 Tu	0 36	☽∠♄	b
	4 02	☿∥♀	
	8 28	☽∠☉	b
	8 42	☽□♅	B
	11 07	☉⚼♅	
	11 31	☿☍♆	
	21 21	☽✱♂	G
	22 11	☽☌♀	G
	23 38	☿⊻♃	
14 We	1 24	☽△♆	G
	3 00	☽□♃	B
	3 26	☽✱☿	G
	7 25	☽⊻♄	g
	12 33	☽☍♇	B
	17 39	☽⊻☉	g
15 Th	4 32	☿#♆	
	5 32	☽∠♂	b
	7 48	☽⚼♆	b
	8 40	☽♋	
	14 08	☽∠☿	b
	14 44	☿⊻♄	
	21 28	☽△♅	G
	22 16	♀∥♂	
16 Fr	13 32	☽⊻♂	g
	13 34	☽⊻♀	g
	16 36	☽✱♃	G
	16 45	♀✱♂	
	20 46	☽☌♄	B
	22 26	♂☍♆	
	23 31	♀△♆	
17 Sa	0 21	☽⊻☿	g
	3 34	☽⚼♅	b
	6 24	☿△♇	
	11 24	☽☌☉	D
	20 56	☽♌	
	20 57	☽∠♀	b
	22 59	☽∠♃	b
18 Su	6 52	☽⚼♇	b
	7 31	☉±♇	
	20 47	☽∥♄	B
19 Mo	1 31	☽☍♆	B
	2 37	☿#♇	
	3 59	☽✱♀	G
	4 19	☽∥☉	G
	4 24	☽☌♂	B
	4 59	☽⊻♃	g
	8 50	☽⊻♄	g
	12 17	☽△♇	G
	18 50	☽☌☿	G
	20 00	♂⊻♃	
	20 03	☽∥♀	G
20 Tu	1 34	☽∥♂	B
	3 23	☽⊻☉	g
	3 53	☽#♆	D
	7 44	☽♍	
	8 57	♀□♃	
	14 14	☽∠♄	b
	14 40	☿⊥♄	
	15 02	☽#♇	D
	19 38	☽☍♅	B
	19 39	☽∥☿	G
21 We	10 32	☽∠☉	b
	10 38	☽#♅	B
	15 38	☽☌♃	G
	16 45	☽□♀	B
	17 17	☽⊻♂	g
	19 08	☽✱♄	G
	21 48	☽□♇	B
22 Th	2 27	☽∥♃	G
	7 00	♂#♆	
	10 12	☽⊻☿	g
	11 50	☉♌	
	15 09	☉±♅	
	15 30	☽⚼♆	b
	16 39	☽♎	
	17 02	☽✱☉	G
	22 49	☽∠♂	b
23 Fr	15 32	♂⊻♄	
	16 33	☽∠☿	b
	19 03	☽△♆	G
24 Sa	0 02	☽⊻♃	g
	2 06	♀⊻♄	
	3 09	☽□♄	B
	3 12	☽△♀	G
	3 37	☽✱♂	G
	3 57	☽#♃	G
	5 05	☽✱♇	G
	7 13	☽⚼♅	b
	19 36	☽∥♅	B
	20 14	☉∠♃	
	21 54	☽✱☿	G
	23 08	☽♏	
	23 34	☽#☿	G
25 Su	3 12	☽∠♃	b
	3 37	☽□☉	B
	7 20	☽⚼♀	b
	7 44	☽∠♇	b
	9 47	☽△♅	G
	9 49	♂△♇	
	13 26	☽∥♇	D
	13 58	☿♍	
	14 57	♀☍♇	
	20 12	☽#♂	B
	23 31	☽∥♆	D
26 Mo	0 06	☽□♆	B
	5 37	☽✱♃	G
	8 22	☽△♄	G
	8 43	☽#♀	G
	9 39	☽⊻♇	g
	10 48	☽□♂	B
	12 09	☽#☉	G
	18 14	☿#♅	
27 Tu	1 24	☽#♄	B
	2 48	☽♐	
	5 31	☽□☿	B
	8 30	♀✱♂	
	9 53	☽⚼♄	b
	10 42	☽△☉	G
	12 46	☽□♅	B
	13 25	☉⚼♇	
28 We	2 23	☽✱♆	G
	8 20	☽□♃	B
	11 30	☽☌♇	D
	13 03	☽⚼☉	b

Day	Time	Aspect	
	14 53	☽△♂	G
	15 06	☽☍♀	B
	16 56	☉∥♀	
	17 07	☉▽♅	
29	2 41	☽∠♆	b
Th	3 57	☽♑	
	9 40	☽△☿	G
	13 27	☽⚹♅	G
	16 06	☽⚼♂	b
30	2 40	☽⚺♆	g
Fr	9 10	☽△♃	G
	10 59	☽⚼☿	b
	11 21	☽☍♄	B
	11 37	☽⚺♇	g
	13 21	☽∠♅	b
	19 46	☿∠♄	
31	3 54	☽♒	
Sa	9 25	☽⚼♃	b
	11 33	☽∠♇	b
	13 16	☽⚺♅	g
	15 06	♄▽♇	
	18 05	☽☍☉	B
	19 05	☽⚼♀	b
AUGUST			
1	0 24	☽#♄	B
Su	2 36	☽☌♆	D
	10 50	☿☍♅	
	11 45	☽⚹♇	G
	13 38	☽#♀	G
	19 35	☽☍♂	B
	19 46	☽#☉	G
	20 51	☽△♀	G
2	0 41	☽∥♆	D
Mo	3 06	♂#♇	
	4 34	☽♓	
	10 30	☽∥♇	D
	10 47	☽#♂	B
	12 55	☽⚼♄	b
	14 12	☽☌♅	B
	15 30	☽☍☿	B
3	3 21	☽∥♅	B
Tu	4 15	☽⚺♆	g
	12 47	☽☍♃	B
	13 59	☽□♇	B
	14 42	☽△♄	G
	17 53	☽#☿	G
	21 58	☽#♃	G
4	2 48	☽⚼☉	b
We	2 58	☽□♀	B
	6 18	☽∠♆	b
	7 59	☽♈	
	12 20	♂⊥♄	
	18 12	☽⚺♅	g
	21 16	☉∠♀	
5	5 06	☽⚼♂	b
Th	7 55	☽△☉	G
	9 22	☽⚹♆	G
	12 58	☉⊥♃	
	14 58	☽∥♃	G
	17 04	☽∥☿	G
	19 56	☽△♇	G
	21 17	☽□♄	B
	21 33	☉#♆	
	21 43	☽∠♅	b
6	2 20	☽⚼☿	b
Fr	3 08	☉☍♆	
	6 54	♀⚼♆	
	10 36	☽△♂	G

Day	Time	Aspect	
	11 54	☽#♅	B
	13 59	☽⚹♀	G
	15 26	☽♉	
	21 22	♃□♇	
7	0 28	☽⚼♇	b
Sa	0 31	☽⚼♃	b
	1 44	☽∥♂	B
	2 15	☽⚹♅	G
	6 56	☽#♇	D
	7 47	☽△☿	G
	8 25	♄⚼♅	
	11 02	♀♋	
	15 57	☽∥☉	G
	18 33	☽#♆	D
	18 33	☽□♆	B
	21 22	☽∠♀	b
	22 01	☽□☉	B
8	3 58	♃±♆	
Su	6 27	☽△♃	G
	7 59	☽⚹♄	G
	10 09	☿∥♃	
	10 16	☽∥♀	G
	22 45	☽∥♄	B
9	0 46	☽□♂	B
Mo	2 33	☽♊	
	5 41	☽⚺♀	g
	13 42	☽□♅	B
	14 25	☽∠♄	b
	20 16	☽□☿	B
10	0 32	☿ Stat	
Tu	6 37	☽△♆	G
	10 14	♂♍	
	15 39	☽⚹☉	G
	18 20	☽☍♇	B
	19 59	☽□♃	B
	21 09	☽⚺♄	g
11	13 00	☽⚼♆	b
We	15 20	☽♋	
	16 59	☽⚹♂	G
	23 29	☽☌♀	G
12	0 17	☉△♇	
Th	0 45	☽∠☉	b
	2 19	☽△♅	G
	8 35	☽⚹☿	G
13	0 55	☽∠♂	b
Fr	8 23	☽⚼♅	b
	9 32	☽⚺☉	g
	9 34	☽⚹♃	G
	9 49	☉⚺♃	
	10 17	☽☌♄	B
	10 57	♀△♅	
	14 00	☽∠☿	b
	18 02	☉#♇	
	20 07	☉⚺♄	
14	3 30	☽♌	
Sa	8 24	☽⚺♂	g
	12 36	☽⚼♇	b
	15 46	☽∠♃	b
	16 20	☽⚺♀	g
	18 45	☽⚺☿	g
	23 05	☿∥♃	
15	6 07	☽∥♄	B
Su	6 28	☽☍♆	B
	14 10	☿⚹♀	
	15 57	☽∥♀	G
	17 50	☽△♇	G
	21 27	☽⚺♃	g
	21 45	☽⚺♄	g
	23 17	♀±♆	

Day	Time	Aspect	
	23 55	☽∠♀	b
16	1 24	☽☌☉	D
Mo	8 35	☽#♆	D
	13 49	☽♍	
	17 59	☿∠♄	
	20 04	☽#♇	D
	21 39	☽☌♂	B
	23 48	☽☍♅	B
17	0 56	☽∥☉	G
Tu	2 14	☽☌☿	G
	2 42	☽∠♄	b
	6 53	☽⚹♀	G
	12 03	☽∥♂	B
	14 22	☽#♅	B
	16 34	♃⚹♄	
18	2 49	☽□♇	B
We	7 09	☽⚹♄	G
	7 15	☽☌♃	G
	7 40	♀Q♃	
	12 22	☽∥☿	G
	14 14	♂☍♅	
	14 43	☽⚺☉	g
	16 00	☽∥♃	G
	19 40	☽⚼♆	b
	19 47	☿☌♂	
	22 09	☽♎	
19	1 00	☿☍♅	
Th	7 17	☽⚺☿	g
	8 35	☽⚺♂	g
	14 59	♂#♅	
	19 03	☽□♀	B
	20 29	☽∠☉	b
	23 07	☽△♆	G
20	0 23	☽#♃	G
Fr	6 26	☽#☿	G
	9 02	☽∠☿	b
	9 53	☽⚹♇	G
	10 51	☽⚼♅	b
	13 14	☽∠♂	b
	14 35	☽□♄	B
	15 04	☽⚺♃	g
	22 20	☉⊥♄	
21	0 13	☽#♂	B
Sa	1 39	☽∥♅	B
	1 39	☽⚹☉	G
	4 37	☽♏	
	8 05	☽#☉	G
	10 19	☽⚹☿	G
	12 44	☽∠♇	b
	13 37	☽△♅	G
	17 20	☽⚹♂	G
	18 14	☽∠♃	b
	18 37	☽∥♇	D
	23 29	♂∠♄	
22	0 18	♀▽♆	
Su	4 36	☽□♆	B
	4 57	☽△♀	G
	5 11	☽∥♆	D
	15 05	☽⚺♇	g
	18 53	☉♍	
	19 45	☽#♀	G
	20 04	☽△♄	G
	20 53	☽⚹♃	G
23	3 46	☽#♄	B
Mo	9 00	☽⚼♀	b
	9 08	☽♐	
	10 12	☽□☉	B
	11 31	☽□☿	B
	17 40	☽□♅	B

Day	Time	Aspect	
	20 50	☉☌☿	
	22 03	☽⚼♄	b
	23 51	☽□♂	B
24	4 53	☿∠♀	
Tu	8 09	☽⚹♆	G
	18 20	☽☌♇	D
25	0 42	☽□♃	B
We	1 33	☿♌	
	9 15	☽∠♆	b
	11 13	☽△☿	G
	11 46	☽♑	
	16 25	☽△☉	G
	17 29	☉#♅	
	19 53	☽⚹♅	G
26	4 19	☽△♂	G
Th	10 00	☽⚺♆	g
	10 41	☽⚼☿	b
	11 44	☿⊥♄	
	17 59	☽☍♀	B
	18 53	☽⚼☉	b
	20 00	☽⚺♇	g
	20 31	☽∠♅	b
27	0 53	☿∥♂	
Fr	1 30	☽☍♄	B
	2 58	☽△♃	G
	6 04	☽⚼♂	b
	13 08	☽♒	
	18 41	☉☍♅	
	20 34	☽∠♇	b
	21 01	☽⚺♅	g
	22 57	♀▽♇	
28	3 53	☽⚼♃	b
Sa	4 53	♀⚼♅	
	11 06	☽☌♆	D
	12 45	☽#♄	B
	17 57	☉∥☿	
	21 13	☽⚹♇	G
	21 26	☽#♀	G
29	7 26	☿⊥♀	
Su	9 23	☽☍☿	B
	9 37	☽∥♆	D
	14 33	☽♓	
	19 43	☽∥♇	D
	22 28	☽☌♅	B
30	1 49	☽⚼♀	b
Mo	2 22	☽☍☉	B
	4 20	☽⚼♄	b
	11 33	☽∥♅	B
	12 00	☽☍♂	B
	12 50	☽#☿	G
	13 01	☽⚺♆	g
	18 42	☽#☉	G
	19 29	♇ Stat	
	22 45	☽#♂	B
	23 36	☽□♇	B
31	5 25	☽△♀	G
Tu	6 09	☽△♄	G
	8 28	☽☍♃	B
	9 18	☿#♅	
	9 47	♂▽♆	
	10 43	☉∠♄	
	14 50	☽∠♆	b
	15 53	☽#♃	G
	16 08	♀☌♄	
	17 46	☽♈	
SEPTEMBER			
1	1 57	☽⚺♅	g
We	12 58	☽⚼☿	b

Day	Time	Aspect	
	15 01	☽∥♃	G
	17 28	☽⚹♆	G
2	4 50	☽△♇	G
Th	4 56	☽∠♅	b
	6 55	☽∥♂	B
	7 15	♀⚹♃	
	9 43	☽∥☉	G
	12 16	☽□♄	B
	13 09	☿ Stat	
	15 46	☽□♀	B
	15 51	☽⚼☉	b
	16 17	☽△☿	G
	17 39	♀±♇	
	21 38	☽#♅	B
	22 15	☿⚺♀	
3	0 15	☽⚼♂	b
Fr	0 16	☽♉	
	1 19	☽∥☿	G
	1 55	☉∠☿	
	8 51	☽⚼♇	b
	8 52	☽⚹♅	G
	15 12	☽#♇	D
	20 04	☽⚼♃	b
	22 37	☽△☉	G
4	1 31	☽□♆	B
Sa	2 48	☽#♆	D
	6 28	☽△♂	G
	13 06	☽∥♀	G
	22 10	☽⚹♄	G
5	1 50	☽△♃	G
Su	2 17	☽∥♄	B
	2 54	☽□☿	B
	6 56	☽⚹♀	G
	10 24	☽♊	
	11 04	☉▽♆	
	11 53	♀±♅	
	19 18	☽□♅	B
6	4 17	☽∠♄	b
Mo	12 50	☽△♆	G
	15 10	☽□☉	B
	15 55	☽∠♀	b
	21 29	☽□♂	B
	22 16	♀♌	
7	1 41	☽☍♇	B
Tu	10 49	☽⚺♄	g
	15 11	☽□♃	B
	18 08	☽⚹☿	G
	19 07	☽⚼♆	b
	22 50	☽♋	
8	1 17	☽⚺♀	g
We	7 40	☽△♅	G
	11 11	☉∥♂	
9	2 44	☽∠☿	b
Th	9 12	☽⚹☉	G
	11 23	♂±♆	
	13 32	☽⚹♂	G
	13 47	☽⚼♅	b
	23 47	☽☌♄	B
10	4 03	♂□♇	
Fr	4 41	☽⚹♃	G
	7 38	☿♍	
	11 06	☽♌	
	11 26	☽⚺☿	g
	15 54	☿⊥♄	
	17 42	☽∠☉	b
	19 22	☽☌♀	G
	20 08	☽⚼♇	b
	20 52	♀▽♅	
	21 01	☽∠♂	b

Date	h m	Aspect	
11 Sa	3 52	♀⚼♇	
	10 45	☽∠♃	b
	12 04	☉±♆	
	12 47	☽☍♆	B
	17 01	☽∥♄	B
12 Su	0 22	☉□♇	
	1 22	☽△♇	G
	1 27	☽⊻☉	g
	3 48	☽⊻♂	g
	10 53	☽⊻♄	g
	12 06	☽∥♀	G
	13 23	♀∠♂	
	15 19	☽#♆	D
	16 09	☽⊻♃	g
	21 16	☽♍	
13 Mo	2 47	☽#♇	D
	3 49	☽☌☿	G
	5 09	☽☍♅	B
	10 36	☽⊻♀	g
	15 26	☽∠♄	b
	15 53	☿☍♅	
	18 54	☽∥☿	G
	19 52	☽#♅	B
14 Tu	8 36	☿#♅	
	9 53	☽□♇	B
	14 29	☽☌☉	D
	15 05	☽☌♂	B
	16 59	☽∠♀	b
	19 20	☽⚹♄	G
15 We	0 04	☽∥♂	B
	0 55	☽☌♃	G
	1 17	☽⚼♆	b
	3 28	☽∥☉	G
	4 54	☽♎	
	7 42	☽∥♃	G
	12 24	♀#♆	
	12 55	☉☌♂	
	18 00	☽⊻☿	g
	21 00	♃⚼♆	
	21 36	☽#♃	G
	22 38	☽⚹♀	G
16 Th	0 40	☽#☉	G
	4 08	☽#♂	B
	4 17	☽△♆	G
	15 04	☽⚼♅	b
	16 05	☽⚹♇	G
	23 45	☽⊻♂	g
17 Fr	0 21	☽∠☿	b
	0 41	☽⊻☉	g
	1 31	☽□♄	B
	3 13	☽#☿	G
	7 27	☽⊻♃	g
	8 31	☽∥♅	B
	10 25	☽♏	
	10 31	☿∠♄	
	13 32	☉⚹♄	
	17 26	☽△♅	G
	18 32	☽∠♇	b
18 Sa	0 19	☽∥♇	D
	3 22	☽∠♂	b
	5 00	☽∠☉	b
	6 17	☽⚹☿	G
	7 48	☽#♀	G
	8 16	☽□♀	B
	9 03	☽□♆	B
	10 05	☽∠♃	b
	10 45	☽∥♆	D
	17 17	☉∥♃	
	17 50	♀☍♆	

Date	h m	Aspect	
	18 32	♂⚹♄	
	20 39	☽⊻♇	g
19 Su	4 16	☿⊽♆	
	5 51	☽#♄	B
	6 07	☽△♄	G
	6 37	☽⚹♂	G
	8 55	☽⚹☉	G
	11 45	♀∠♃	
	12 24	☽⚹♃	G
	14 30	☽♐	
	21 14	☽□♅	B
	23 05	☿⊻♀	
20 Mo	8 00	☽⚼♄	b
	12 35	☽⚹♆	G
	13 16	☉⚼♆	
	16 20	☽△♀	G
	17 14	☽□☿	B
21 Tu	0 04	☽☌♇	D
	12 16	☽□♂	B
	14 02	☽∠♆	b
	15 54	☽□☉	B
	16 19	☽□♃	B
	17 35	☽♑	
	19 58	☽⚼♀	b
	23 48	☉☌♃	
22 We	0 06	☽⚹♅	G
	12 23	☿±♆	
	15 20	☽⊻♆	g
	16 30	☉♎	
	23 03	☿□♇	
23 Th	1 20	☽∠♅	b
	2 01	♂⚼♆	
	2 48	☽⊻♇	g
	3 21	☽△☿	G
	12 33	☽☍♄	B
	17 16	☽△♂	G
	19 41	☽△♃	G
	20 10	☽♒	
	22 12	☽△☉	G
24 Fr	2 31	☽⊻♅	g
	4 05	☽∠♇	b
	8 19	☽⚼☿	b
	16 08	♀#♇	
	17 49	☽☌♆	D
	18 06	♀△♇	
	19 45	☽⚼♂	b
	21 22	☽⚼♃	b
	23 09	☽#♄	B
25 Sa	1 23	☽⚼☉	b
	3 23	♃♎	
	5 12	☉#♃	
	5 26	☽⚹♇	G
	6 25	☽☍♀	B
	10 48	☉#♂	
	17 27	☽∥♆	D
	22 55	☽♓	
26 Su	1 54	♂∥♃	
	3 39	☽∥♇	D
	5 16	☽☌♅	B
	5 37	☽#♀	G
	5 38	☿⚹♄	
	9 15	♂♎	
	11 10	☉⊽♅	
	17 18	☽⚼♄	b
	19 00	☽∥♅	B
	20 55	☽⊻♆	g
27 Mo	0 17	♂☌♃	
	1 36	♄±♇	
	8 57	☽□♇	B

Date	h m	Aspect	
	9 24	☿⚼♆	
	19 32	☽△♄	G
	23 03	☽∠♆	b
	23 13	☉#☿	
28 Tu	1 12	☽☍☿	B
	2 57	☽♈	
	4 06	☽☍♃	B
	4 32	☽∥☉	G
	5 02	☽☍♂	B
	5 38	☽#☿	G
	9 24	☽⊻♅	g
	9 56	☽#♃	G
	11 34	☽#♂	B
	13 09	☽☍☉	B
	13 37	☽∥♂	B
	14 13	☿♎	
	15 16	☽∥♃	G
	17 19	☿⊥♀	
	18 08	☽∥☿	G
	19 36	☽⚼♀	b
	21 52	☽#☉	G
29 We	1 21	☿☌♃	
	1 48	☽⚹♆	G
	7 11	♀⊥♃	
	12 22	☽∠♅	b
	14 31	☽△♇	G
	19 21	☿☌♂	
	20 44	☿∥♃	
30 Th	1 33	☽△♀	G
	1 53	☽□♄	B
	5 28	♀⊻♄	
	7 55	☽#♅	B
	8 29	☿#♂	
	9 24	☽♉	
	13 22	☿⊽♅	
	15 22	☉Q♇	
	16 01	☽∥♀	G
	16 04	☽⚹♅	G
	18 23	☽⚼♇	b
	20 28	☉Q♄	
OCTOBER			
1 Fr	0 35	☽#♇	D
	3 48	☿∥♂	
	5 27	☿#♃	
	6 06	♀⊥♂	
	7 54	♂#♃	
	9 28	☽□♆	B
	11 49	☽#♆	D
	16 29	☽⚼♃	b
	20 21	♂⊽♅	
	20 35	☽⚼♂	b
2 Sa	1 57	☽⚼☿	b
	7 50	☽∥♄	B
	8 05	☽⚼☉	b
	9 16	☉±♅	
	11 18	☽⚹♄	G
	16 34	☽□♀	B
	18 55	☽♊	
	22 13	☽△♃	G
	22 23	☿Q♇	
3 Su	1 48	☽□♅	B
	2 39	☿Q♄	
	3 32	☽△♂	G
	12 29	☽△☿	G
	16 17	☽△☉	G
	17 05	☽∠♄	b
	17 20	♀♍	
	20 08	☽△♆	G

Date	h m	Aspect	
	20 27	☿±♅	
4 Mo	10 28	☽☍♇	B
	23 22	☽⊻♄	g
5 Tu	2 16	☽⚼♆	b
	6 54	☽♋	
	10 59	☽⚹♀	G
	11 24	☽□♃	B
	13 50	☽△♅	G
	14 59	☉△♆	
	16 14	♀⊻♃	
	16 30	☿△♆	
	17 10	♀⊥♄	
	18 29	☉☌☿	
	19 14	☽□♂	B
	21 46	♀#♅	
6 We	10 12	☽□☉	B
	11 22	☽□☿	B
	15 23	♀☍♅	
	20 05	☽⚼♅	b
	20 36	☽∠♀	b
7 Th	12 13	☽☌♄	B
	19 23	☽♌	
8 Fr	0 55	☽⚹♃	G
	5 12	☽⚼♇	b
	5 52	☽⊻♀	g
	10 55	☽⚹♂	G
	15 39	♂Q♇	
	16 13	☉∥☿	
	20 29	☽☍♆	B
	22 40	☿⚼♅	
9 Sa	3 20	☽⚹☉	G
	4 12	☽∥♄	B
	6 59	☽∠♃	b
	8 58	☽⚹☿	G
	10 42	☽△♇	G
	13 15	♂Q♄	
	17 51	☽∠♂	b
	21 48	☿⚹♇	
	23 25	☽⊻♄	g
	23 50	☽#♆	D
10 Su	6 00	☽♍	
	10 41	☽∠☉	b
	10 57	☽#♇	D
	11 06	♃⊽♅	
	12 15	☽☍♅	B
	12 17	☽⊻♃	g
	17 07	♂±♅	
	18 08	☽∠☿	b
	21 52	☽☌♀	G
	23 53	☽⊻♂	g
11 Mo	3 34	☽#♅	B
	3 53	☽∠♄	b
	6 19	☉⚼♅	
	12 40	☽∥♀	G
	14 48	☽#☿	G
	17 01	☽⊻☉	g
	18 47	☽#☉	G
	19 24	☽□♇	B
12 Tu	1 19	☿#♀	
	2 00	☽⊻☿	g
	7 32	☽⚹♄	G
	9 18	☽⚼♆	b
	10 28	☽#♂	B
	13 32	☽♎	
	20 21	☽☌♃	G
	20 26	♀⊻♂	
	21 24	☽#♃	G
13 We	1 08	☉⚹♇	
	1 19	☽∥♃	G

Date	h m	Aspect	
	9 10	☽☌♂	B
	9 43	☽⊻♀	g
	12 01	☽△♆	G
	13 06	☽∥♂	B
	14 27	☉#♀	
	17 59	♀∠♄	
	21 46	☽⚼♅	b
	23 14	☿□♄	
14 Th	1 00	☽⚹♇	G
	2 48	☽☌●	D
	4 43	☽#☿	G
	6 35	☽∥☉	G
	12 07	♀⊽♆	
	12 10	☿∠♀	
	12 38	☽□♄	B
	14 17	☽∠♀	b
	14 22	☽☌☿	G
	14 58	☽∥☿	G
	17 19	☽∥♅	B
	18 10	☽♏	
	23 38	☽△♅	G
15 Fr	1 29	☽⊻♃	g
	2 53	☽∠♇	b
	8 21	☽∥♇	D
	12 13	☿∥♅	
	15 30	☽⊻♂	g
	15 42	☽□♆	B
	18 06	☽∥♆	D
	18 14	☽⚹♀	G
	20 03	♂△♆	
	22 57	☿♏	
16 Sa	3 19	☽∠♃	b
	4 21	☽⊻♇	g
	9 50	☽⊻☉	g
	10 44	☽#♄	B
	15 43	☽△♄	G
	17 59	☽∠♂	b
	20 58	☽♐	
	23 46	☽⊻☿	g
17 Su	2 14	☽□♅	B
	4 52	☽⚹♃	G
	12 51	☽∠☉	b
	16 53	☽⚼♄	b
	18 04	☽⚹♆	G
	20 17	☽⚹♂	G
	21 30	☿△♅	
18 Mo	1 07	☽□♀	B
	4 00	☽∠☿	b
	6 40	☽☌♇	D
	15 46	☽⚹☉	G
	19 07	☽∠♆	b
	23 07	☽♑	
19 Tu	3 37	☿⊻♃	
	4 18	☽⚹♅	G
	4 30	☿∠♇	
	7 45	☽□♃	B
	8 12	☽⚹☿	G
	12 56	♀±♆	
	20 15	☽⊻♆	g
20 We	0 54	☽□♂	B
	1 21	♀#♂	
	1 25	☉□♄	
	5 28	☽∠♅	b
	7 57	☽△♀	G
	9 04	☽⊻♇	g
	20 35	☽☍♄	B
	21 26	♀□♇	
	21 59	☽□☉	B
21	1 37	☽♒	

Day	Time	Aspect	
Th	6 50	☽⊻♅	g
	8 14	☿∥♇	
	10 33	☽∠♇	b
	11 10	☽△♃	G
	11 44	☽⚼♀	b
	17 16	☽□☿	B
	17 28	♄±♅	
	23 09	☽☌♆	D
22 Fr	1 42	☉∥♅	
	6 25	☽△♂	G
	6 36	☽#♄	B
	12 20	☽✱♇	G
	13 19	☽⚼♃	b
	23 36	☽∥♆	D
23 Sa	1 49	☉♏	
	4 41	☽∥☿	G
	5 13	☽♓	
	5 29	☽△☉	G
	9 27	☽∥♇	D
	9 44	☽⚼♂	b
	10 30	☽☌♅	B
	13 35	☿⊥♃	
	22 20	☿□♆	
	22 23	☽∥☉	G
24 Su	1 00	☽∥♅	B
	1 39	♂⚼♅	
	2 30	☽⚼♄	b
	3 21	☽⊻♆	g
	3 59	☽△☿	G
	9 57	☽⚼☉	b
	11 59	♆Stat	
	17 04	☽□♇	B
	19 02	☽∥♂	B
25 Mo	1 25	☿⊥♇	
	1 51	☽☍♀	B
	4 29	☿∥♆	
	5 17	☽△♄	G
	6 06	☽∠♆	b
	8 42	☽#♀	G
	10 14	☽⚼☿	b
	10 24	☽♈	
	14 24	☽∥♃	G
	15 49	☽⊻♅	g
	22 14	☽☍♃	B
26 Tu	1 49	☉△♅	
	2 29	☽#♃	G
	6 30	☽∥♀	G
	9 20	☽✱♆	G
	16 49	♀✱♄	
	19 14	☽∠♅	b
	22 48	☽☍♂	B
	23 42	☽△♇	G
27 We	0 22	☽#♂	B
	1 04	♀⚼♆	
	12 24	☽□♄	B
	17 01	☽#♅	B
	17 14	♂✱♇	
	17 37	☽♉	
	23 12	☽✱♅	G
28 Th	1 55	☽#☉	G
	3 07	☽●☉	B
	3 52	☽⚼♇	b
	4 55	♀#♃	
	9 44	☽#♇	D
	12 45	☉∠♇	
	17 04	☉⊥♀	
	17 32	☽□♆	B
	20 18	☽#♆	D
	21 50	☽⚼♀	b
29 Fr	0 39	♀♎	
	2 23	☿⊻♇	
	7 37	☽#☿	G
	9 28	☽☍☿	B
	12 06	☽⚼♃	b
	14 58	☽∥♄	B
	21 50	☽✱♄	G
30 Sa	3 11	☽♊	
	3 27	☿⊻♂	
	6 05	☽△♀	G
	8 56	☽□♅	B
	10 24	☿∠♃	
	13 31	☉⊻♃	
	17 45	☽⚼♂	b
	17 57	☽△♃	G
31 Su	3 24	☽∠♄	b
	4 05	☽△♆	G
	10 44	♀▽♅	
	19 52	☽☍♇	B
NOVEMBER			
1 Mo	1 21	☽△♂	G
	1 52	☿#♄	
	2 52	☽⚼☉	b
	9 27	☽⊻♄	g
	10 06	☽⚼♆	b
	14 53	☽♋	
	20 46	☽△♅	G
2 Tu	0 39	☽□♀	B
	7 04	☽□♃	B
	11 26	☉∥♇	
	11 54	☽△☉	G
	15 27	☽⚼☿	b
	18 01	☿△♄	
3 We	3 05	☽⚼♅	b
	17 31	☽□♂	B
	22 08	☽☌♄	B
4 Th	2 00	☽△☿	G
	3 32	☽☊	
	14 40	☿♐	
	14 53	☽⚼♇	b
	17 35	☉□♆	
	20 07	☽✱♀	G
	20 38	☽✱♃	G
5 Fr	1 29	☿Q♆	
	2 11	♀☌♃	
	2 57	☽#☿	G
	4 13	♀Q♇	
	4 52	☽☍♆	B
	5 53	☽□☉	B
	8 34	♀±♅	
	13 33	☽∥♄	B
	16 59	♃Q♇	
	17 23	♀Q♄	
	20 48	☽△♇	G
6 Sa	2 51	☽∠♃	b
	5 08	☽∠♀	b
	8 43	☽#♆	D
	8 45	☽✱♂	G
	9 28	♀∥♃	
	9 50	☽⊻♄	g
	13 17	☽#☉	G
	15 00	☽♍	
	15 18	☿□♅	
	17 16	♃±♅	
	17 50	☿⊥♂	
	19 11	☽#♇	D
	19 18	☉⊥♇	
	20 34	☽☍♅	B
	21 15	☽□☿	B
7 Su	0 36	☉⊥♃	
	5 03	♂□♄	
	8 18	☽⊻♃	g
	12 23	☽#♅	B
	13 10	☽⊻♀	g
	14 38	☽∠♄	b
	15 10	☽∠♂	b
	17 13	☽#♂	B
	21 10	☽✱☉	G
8 Mo	6 26	☽□♇	B
	6 56	♄Stat	
	10 58	♀△♆	
	18 32	☽✱♄	G
	19 09	☽⚼♆	b
	19 30	☽#♀	G
	20 32	☽⊻♂	g
	23 06	☽#♃	G
	23 23	☽♎	
9 Tu	2 25	♃Q♄	
	3 06	☽∠☉	b
	11 44	☽✱☿	G
	16 14	☉∥♆	
	16 22	☽●♃	G
	19 32	☽∥♃	G
	22 05	☽△♆	G
10 We	0 54	☽∥♀	G
	1 32	☽●♀	G
	7 12	☽⚼♅	b
	7 52	☽⊻☉	g
	12 21	☽✱♇	G
	16 59	☽∠☿	b
	23 32	☽□♄	B
11 Th	2 28	☽∥♂	B
	3 38	☽∥♅	B
	4 02	☽●♂	B
	4 05	☽♏	
	5 10	♂♏	
	8 58	☽△♅	G
	10 43	♅Q♇	
	14 02	☽∠♇	b
	16 31	☿✱♃	
	18 52	☽∥♇	D
	19 15	♅Stat	
	20 44	☽⊻♃	g
	21 06	☽⊻☿	g
12 Fr	1 28	☽□♆	B
	3 38	☽∥♆	D
	6 48	☽∥☉	G
	8 43	♂∥♅	
	9 24	☽⊻♀	g
	14 27	☽☌☉	D
	15 03	☽⊻♇	g
	16 59	♀⚼♅	
	19 47	☽#♄	B
	21 52	☽∠♃	b
	23 23	☉⊻♇	
13 Sa	1 34	☽△♄	G
	5 56	☽♐	
	8 15	☽⊻♂	g
	10 37	☽□♅	B
	12 13	☽∠♀	b
	13 45	☿⚼♄	
	19 56	☽∥☿	G
	21 19	☿✱♆	
	22 37	☽✱♃	G
14 Su	1 56	☽⚼♄	b
	2 37	☽✱♆	G
	3 06	☽●☿	G
	9 43	☽∠♂	b
	14 43	☽✱♀	G
	15 57	☽☌♇	D
	18 49	☽⊻☉	g
15 Mo	2 53	☽∠♆	b
	6 09	♀✱♇	
	6 33	☽♑	
	11 08	☽✱♂	G
	11 12	☽✱♅	G
	12 58	♂△♅	
	20 53	☽∠☉	b
	23 49	☽□♃	B
16 Tu	3 16	☽⊻♆	g
	8 15	☽⊻☿	g
	11 39	☽∠♅	b
	16 51	☽⊻♇	g
	19 57	☽□♀	B
	23 17	☽✱☉	G
17 We	3 07	☽☍♄	B
	6 40	☽∥☿	G
	7 39	☽♒	
	11 14	☽∠☿	b
	12 27	☽⊻♅	g
	14 45	☽□♂	B
	17 48	☽∠♇	b
18 Th	0 26	☉∠♃	
	2 06	☽△♃	G
	5 04	☽☌♆	D
	11 53	☽#♄	B
	14 47	☽✱☿	G
	17 53	☽∥☉	G
	19 17	☽✱♇	G
19 Fr	3 18	☽△♀	G
	4 03	☽⚼♃	b
	5 01	☽∥♆	D
	5 33	☉△♄	
	5 50	☽□☉	B
	10 38	☽♓	
	13 55	☽∥♇	D
	15 41	☽☌♅	B
	20 42	☽△♂	G
	22 47	☽∥♂	B
20 Sa	6 09	☽∥♅	B
	7 12	♀□♄	
	8 06	☽⚼♄	b
	8 11	☽⚼♀	b
	9 10	☽⊻♆	g
	11 49	♂∠♇	
	15 03	☽∥♀	G
	20 14	♄±♇	
	20 19	☿Q♅	
	23 57	☽□☿	B
21 Su	0 12	☽□♇	B
	0 49	☽⚼♂	b
	2 57	☿±♄	
	3 22	☿☌♇	
	11 02	☽△♄	G
	12 13	☽∠♆	b
	12 21	☽∥♃	G
	15 35	☽△☉	G
	16 11	☽♈	
	21 32	☽⊻♅	g
	23 22	☉♐	
22 Mo	12 32	☿∠♂	
	13 31	♀♏	
	14 00	☽☍♃	B
	15 55	☽✱♆	G
	16 22	☽#♃	G
	19 33	☉Q♆	
	21 41	☽⚼☉	b
23 Tu	1 25	☽∠♅	b
	7 44	☽△♇	G
	11 43	☽△☿	G
	18 47	☽□♄	B
	20 09	☽#♀	G
	23 34	☽#♅	B
24 We	0 16	☽♉	
	4 03	☽☍♀	B
	5 52	☽✱♅	G
	9 32	☿Q♃	
	10 55	☉#♄	
	12 14	☽#♂	B
	12 22	☽⚼♇	b
	17 20	☽#♇	D
	17 33	☽☍♂	B
	18 18	☽⚼☿	b
	21 19	☉□♅	
	22 46	♀△♅	
25 Th	1 01	☽□♆	B
	2 55	☽#♆	D
	5 12	☉⊻♀	
	15 58	♀∥♅	
	22 41	☽∥♄	B
26 Fr	0 25	☽#☉	G
	4 37	☽✱♄	G
	5 24	☽⚼♃	b
	10 25	☽♊	
	16 16	☽□♅	B
	20 07	☽☍☉	B
27 Sa	8 17	☽#☿	G
	10 10	☽∠♄	b
	11 28	☽△♃	G
	12 01	☽△♆	G
	18 39	♀∠♇	
	23 11	♄±♅	
28 Su	2 57	☿∠♂	
	5 02	☽☍♇	B
	6 12	☽⚼♀	b
	15 04	☽☍☿	B
	15 26	☽⚼♂	b
	16 04	☽⊻♄	g
	18 04	☽⚼♆	b
	22 10	☽♋	
29 Mo	4 13	☽△♅	G
	8 28	♃△♆	
	15 27	♂∥♇	
	15 53	☽△♀	G
	23 29	☽△♂	G
30 Tu	0 34	☽□♃	B
	10 34	☽⚼♅	b
	12 16	☿Stat	
	15 25	♂□♆	
	22 51	☽⚼☉	b
DECEMBER			
1 We	0 05	♂⊻♃	
	4 28	☽☌♄	B
	10 50	☽☊	
	16 56	☽#☿	G
	21 57	☿∠♀	
2 Th	0 10	☽⚼♇	b
	8 00	☽△☉	G
	9 55	☽⚼☿	b
	11 12	☽#☉	G
	11 38	☽□♀	B
	13 08	☽☍♆	B
	14 03	☽✱♃	G
	15 47	☽□♂	B

Day	h m	Aspect	
	19 31	☽∥♄	B
3 Fr	2 22	♀□♆	
	6 25	☽△♇	G
	14 01	♀⊻♃	
	14 06	☉⚼♄	
	14 52	☽△☿	G
	16 33	☽⋕♆	D
	16 34	☽⊻♄	g
	20 25	☽∠♃	b
	21 39	☽⋕♂	B
	22 32	☿Q♃	
	23 00	☽♍	
4 Sa	1 57	☽⋕♇	D
	4 28	☽⋕♀	G
	5 05	☽☍♅	B
	15 45	♂⊥♇	
	20 44	☽⋕♅	B
	21 32	☉✱♆	
	21 55	☽∠♄	b
5 Su	0 53	☽□☉	B
	2 09	☽⊻♃	g
	5 39	☽✱♀	G
	6 06	♀⊥♇	
	6 27	☽✱♂	G
	13 32	♀∥♇	
	17 13	☽□♇	B
	18 57	☉✱♃	
	21 45	☽□☿	B
	22 13	♀☌♂	
6 Mo	0 53	☽⋕♃	G
	2 28	☽✱♄	G
	5 15	☽⚼♆	b
	8 46	☽♎	
	12 25	☽∠♂	b
	13 06	☽∠♀	b
	14 39	☿⊥♀	
	19 54	☿⊥♂	
7 Tu	6 03	☉∥☿	
	8 55	☽△♆	G
	10 54	☽•♃	G
	12 00	☽∥♃	G
	13 42	☽✱☉	G
	17 14	☽⊻♂	g
	17 55	☽⚼♅	b
	19 13	☽⊻♀	g
	23 04	☿☌♇	
8 We	0 19	☽✱☿	G
	0 26	☽✱♇	G
	8 41	☽□♄	B
	11 15	☿Q♅	
	13 28	☽∥♅	B
	14 44	☽♏	
	17 27	♂∥♆	
	18 11	☽∠☉	b
	20 13	☽△♅	G
	23 41	☿±♄	
9 Th	0 07	☽∠☿	b
	0 49	☿⊻♀	
	1 58	♀⊥♃	
	2 31	☽∠♇	b
	6 03	☽∥♇	D
	12 03	☽∥♀	G
	13 12	☽□♆	B
	13 45	☽∥♆	D
	14 32	☽∥♂	B
	15 30	☽⊻♃	g
	21 29	☽⊻☉	g
	21 31	☿⊻♂	
	23 08	☽⊻☿	g
	23 22	☽☌♂	B
10 Fr	3 31	☽☌♀	G
	3 41	☽⊻♇	g
	5 25	♀⊻♇	
	7 43	☽⋕♄	B
	8 21	☉☌☿	
	10 15	☽∥☿	G
	11 03	☽△♄	G
	15 02	♀∥♆	
	16 27	☽∠♃	b
	16 54	☽♐	
	19 18	☽∥☉	G
	22 08	☽□♅	B
11 Sa	11 10	☽⚼♄	b
	14 11	☽✱♆	G
	14 45	☿⋕♄	
	16 45	☽✱♃	G
	19 32	☽☌☿	G
12 Su	0 25	☉±♄	
	1 29	☽☌☉	D
	2 04	☽⊻♂	g
	4 03	☽☌♇	D
	8 05	☽⊻♀	g
	10 19	♂⊥♃	
	13 58	☽∠♆	b
	16 42	☽♑	
	21 52	☽✱♅	G
	23 11	☉Q♅	
13 Mo	0 46	☿✱♃	
	2 29	☉⊻♂	
	2 49	☽∠♂	b
	6 50	♀∥♂	
	9 49	☽∠♀	b
	13 38	☽⊻♆	g
	15 17	☽⊻☿	g
	16 26	♀△♄	
	16 33	☽□♃	B
	17 03	☉☌♇	
	21 34	☽∠♅	b
14 Tu	0 42	♂⊻♇	
	3 30	☽⊻♇	g
	3 38	☽✱♂	G
	4 14	☽⊻☉	g
	10 03	☽☍♄	B
	11 43	☽✱♀	G
	13 30	☽∠☿	b
	13 45	☿✱♆	
	16 10	☽♒	
	21 31	☽⊻♅	g
15 We	3 35	☽∠♇	b
	4 16	☽∥☉	G
	6 02	☽∠☉	b
	12 16	☽✱☿	G
	13 45	☽☌♆	D
	17 08	☽△♃	G
	17 18	☽⋕♄	B
16 Th	0 13	☽∥☿	G
	3 48	☽∥♀	G
	4 13	☽✱♇	G
	5 26	☽∥♂	B
	6 38	☽□♂	B
	8 33	☽✱☉	G
	11 57	☽∥♆	D
	17 10	♀♐	
	17 24	☽♓	
	17 25	☽□♀	B
	18 20	☽⚼♃	b
	19 23	☽∥♇	D
	23 09	☽☌♅	B
17 Fr	4 58	♀∠♃	
	12 11	☽⚼♄	b
	12 24	☽□☿	B
	12 32	☽∥♅	B
	13 50	☉∇♄	
	16 24	☽⊻♆	g
	20 10	☿⚼♄	
	20 20	♀Q♆	
	20 33	☿∥♀	
18 Sa	7 54	☽□♇	B
	11 32	☽∥♃	G
	13 06	☽△♂	G
	14 30	☽△♄	G
	16 40	☽□☉	B
	19 03	☽∠♆	b
	21 52	☽♈	
19 Su	3 22	☽△♀	G
	4 09	☽⊻♅	g
	11 15	☉Q♃	
	11 53	♀□♅	
	14 11	♂△♄	
	17 03	☽△☿	G
	17 55	☽⚼♂	b
	22 37	☽✱♆	G
20 Mo	0 45	☉∠♆	
	3 18	☽☍♃	B
	3 25	☽⋕♃	G
	6 30	☿Stat	
	8 01	☽∠♅	b
	10 09	☽⚼♀	b
	15 12	☽△♇	G
	20 39	☿∥♂	
	21 14	☽⚼☿	b
	21 45	☽□♄	B
21 Tu	3 36	☽⋕♅	B
	5 16	☽△☉	G
	5 52	☽♉	
	12 40	☽✱♅	G
	12 42	☉♑	
	20 02	☽⚼♇	b
	23 05	☽⋕♇	D
	23 20	☿⚼♄	
22 We	7 18	☽⋕♆	D
	8 06	☽□♆	B
	12 58	☽⚼☉	b
	20 35	☽⋕☿	G
	21 23	☽⋕♂	B
23 Th	3 41	☽⋕♀	G
	6 12	☽∥♄	B
	7 47	☽✱♄	G
	13 41	☽☍♂	B
	16 32	☽♊	
	19 22	☽⚼♃	b
	22 20	☽⋕☉	G
	23 44	☽□♅	B
24 Fr	11 54	☽☍♀	B
	13 27	☽∠♄	b
	16 10	☽☍☿	B
	19 42	☽△♆	G
25 Sa	1 37	☽△♃	G
	2 06	♀⚼♄	
	2 50	☉✱♅	
	3 15	♀⋕♄	
	13 30	☽☍♇	B
	16 04	♂♐	
	19 22	☽⊻♄	g
26 Su	1 55	☽⚼♆	b
	4 38	☽♋	
	12 06	☽△♅	G
	15 06	☽☍☉	B
27 Mo	5 35	☿✱♆	
	9 00	☿∥♂	
	13 32	☽⚼♂	b
	14 39	☽□♃	B
	16 32	♀✱♆	
	18 30	☽⚼♅	b
28 Tu	4 20	♂Q♆	
	7 34	☽☌♄	B
	11 53	♂∠♃	
	17 13	☽⚼♀	b
	17 14	☽♌	
	17 15	☽⚼☿	b
	18 23	☿☌♀	
	21 43	☽△♂	G
29 We	3 24	☉⊥♆	
	8 21	☽⋕☉	G
	8 38	☽⚼♇	b
	17 24	☽⋕♀	G
	21 02	☽☍♆	B
	22 35	☽∥♄	B
30 Th	0 22	☽⋕☿	G
	1 45	☽⋕♂	B
	2 13	☽△☿	G
	3 01	☽△♀	G
	3 44	☽✱♃	G
	10 19	♀✱♃	
	14 54	☽△♇	G
	18 23	☽⚼☉	b
	19 37	☽⊻♄	g
	21 07	☿✱♃	
	23 08	☽⋕♆	D
31 Fr	1 01	☉⊥♂	
	5 33	☽♍	
	6 58	☿⋕♄	
	7 05	☽⋕♇	D
	7 49	♂□♅	
	10 00	☽∠♃	b
	13 18	☽☍♅	B
	13 37	☽□♂	B
	20 56	♀±♄	

DISTANCES APART OF ALL ☌s AND ☍s IN 2004

Note: The Distances Apart are in Declination

JANUARY

Day	h	m	Aspect	°	′
5	11	53	☽ ☍ ♇	11	16
5	23	14	☽ ☍ ☿	6	08
7	01	03	☽ ☌ ♄	4	34
7	15	40	☽ ☍ ☉	4	16
9	16	39	☽ ☍ ♆	4	48
10	17	31	☽ ☍ ♀	3	08
11	03	35	☽ ☍ ♅	3	56
12	13	18	☽ ☌ ♃	2	51
14	16	55	☽ ☍ ♂	2	42
15	07	23	♀ ☌ ♅	0	49
19	03	58	☽ ☌ ♇	11	23
20	03	36	☽ ☌ ☿	4	45
20	07	43	☽ ☍ ♄	4	31
21	21	05	☽ ☌ ☉	4	42
22	04	59	☿ ☍ ♄	0	04
22	15	46	☽ ☌ ♆	4	46
23	23	28	☽ ☌ ♅	3	52
24	18	48	☽ ☌ ♀	3	01
25	05	30	☽ ☍ ♃	2	45
28	04	59	☽ ☌ ♂	2	12
29	12	01	♀ ☍ ♃	0	14

FEBRUARY

Day	h	m	Aspect	°	′
1	21	01	☽ ☍ ♇	11	32
3	04	35	☽ ☌ ♄	4	29
4	17	53	☽ ☍ ☿	3	34
6	01	30	☽ ☍ ♆	4	45
6	08	47	☽ ☍ ☉	4	45
7	12	37	☽ ☍ ♅	3	48
8	15	51	☽ ☌ ♃	2	39
9	17	24	☽ ☍ ♀	2	46
12	05	42	☽ ☍ ♂	1	30
15	12	32	☽ ☌ ♇	11	43
15	17	43	☿ ☌ ♆	1	49
16	13	23	☽ ☍ ♄	4	31
19	03	12	☽ ☌ ♆	4	46
19	13	45	☽ ☌ ☿	2	46
20	09	18	☽ ☌ ☉	4	29
20	12	07	☽ ☌ ♅	3	46
21	10	34	☽ ☍ ♃	2	39
22	02	07	☉ ☌ ♅	0	40
23	21	53	☽ ☌ ♀	2	30
26	02	05	☽ ● ♂	0	48
27	06	21	☿ ☌ ♅	1	15
29	06	13	☽ ☍ ♇	11	53

MARCH

Day	h	m	Aspect	°	′
1	10	52	☽ ☌ ♄	4	35
4	01	43	☉ ☌ ☿	1	36
4	03	36	☿ ☍ ♃	0	17
4	05	05	☉ ☍ ♃	1	19
4	11	50	☽ ☍ ♆	4	49
5	23	40	☽ ☍ ♅	3	45
6	17	46	☽ ☌ ♃	2	42
6	23	14	☽ ☍ ☉	3	53
7	04	41	☽ ☍ ☿	2	24
10	10	50	☽ ☍ ♀	2	12
11	18	35	☽ ☍ ♂	0	00
13	18	37	☽ ☌ ♇	12	03
14	18	39	☽ ☍ ♄	4	39
17	12	08	☽ ☌ ♆	4	52
18	22	56	☽ ☌ ♅	3	45
19	12	48	☽ ☍ ♃	2	48
20	22	41	☽ ☌ ☉	3	07
22	07	49	☽ ☌ ☿	2	59
24	22	29	☽ ☌ ♀	1	57
25	23	36	☽ ● ♂	0	46
27	14	40	☽ ☍ ♇	12	12
28	19	55	☽ ☌ ♄	4	44
31	22	33	☽ ☍ ♆	4	56

APRIL

Day	h	m	Aspect	°	′
2	11	49	☽ ☍ ♅	3	46
2	21	40	☽ ☌ ♃	2	55
5	11	03	☽ ☍ ☉	2	04
6	13	35	☽ ☍ ☿	3	49
8	19	43	☽ ☍ ♀	1	43
9	07	53	☽ ☍ ♂	1	31
10	00	29	☽ ☌ ♇	12	17
11	01	55	☽ ☍ ♄	4	47
13	18	52	☽ ☌ ♆	4	58
15	07	25	☽ ☌ ♅	3	47
15	14	34	☽ ☍ ♃	3	01
17	01	05	☉ ☌ ☿	1	44
19	05	32	☽ ☌ ☿	2	31
19	13	21	☽ ● ●	0	59
23	10	34	☽ ☌ ♀	1	26
23	20	30	☽ ☌ ♂	2	12
23	21	42	☽ ☍ ♇	12	20
24	18	10	♂ ☍ ♇	10	06
25	06	54	☽ ☌ ♄	4	50
28	08	06	☽ ☍ ♆	4	59
29	23	19	☽ ☍ ♅	3	46
30	04	32	☽ ☌ ♃	3	06

MAY

Day	h	m	Aspect	°	′
2	06	03	♀ ☍ ♇	13	29
3	06	27	☽ ☍ ☿	0	23
4	20	33	☽ ● ☉	0	18
7	07	59	☽ ☌ ♇	12	20
7	11	50	☽ ☍ ♀	0	53
7	21	50	☽ ☍ ♂	2	46
8	12	49	☽ ☍ ♄	4	51
11	01	06	☽ ☌ ♆	4	59
12	14	29	☽ ☌ ♅	3	44
12	19	06	☽ ☍ ♃	3	07
16	21	11	☽ ☌ ☿	2	10
19	04	52	☽ ☌ ☉	1	32
21	03	14	☽ ☍ ♇	12	18
21	12	13	☽ ● ♀	0	20
22	16	14	☽ ☌ ♂	3	13
22	18	58	☽ ☌ ♄	4	52
25	05	40	♂ ☌ ♄	1	35
25	15	33	☽ ☍ ♆	4	56
27	08	36	☽ ☍ ♅	3	40
27	14	09	☽ ☌ ♃	3	05

JUNE

Day	h	m	Aspect	°	′
1	21	16	☽ ☍ ☿	2	54
3	01	28	♀ ☍ ♇	9	58
3	04	20	☽ ☍ ☉	2	44
3	16	39	☽ ☍ ♀	2	25
3	17	12	☽ ☌ ♇	12	16
5	03	07	☽ ☍ ♄	4	52
5	12	28	☽ ☍ ♂	3	31
7	08	27	☽ ☌ ♆	4	53
8	08	43	☉ ● ♀	0	11
8	21	34	☽ ☌ ♅	3	37
9	04	31	☽ ☍ ♃	3	02
11	12	24	☉ ☍ ♇	8	54
12	23	24	☿ ☌ ♀	1	19
15	15	06	☿ ☍ ♇	9	25
16	16	12	☽ ☌ ♀	4	46
17	07	51	☽ ☍ ♇	12	12
17	17	14	☽ ☌ ☿	2	45
17	20	27	☽ ☌ ☉	3	43
18	21	24	☉ ☌ ☿	1	02
19	07	37	☽ ☌ ♄	4	52
20	10	46	☽ ☌ ♂	3	41
21	21	00	☽ ☍ ♆	4	48
23	15	07	☽ ☍ ♅	3	30
24	01	57	☽ ☌ ♃	2	53
27	00	07	☿ ☌ ♄	2	05
30	09	46	☽ ☍ ♀	6	34

JULY

Day	h	m	Aspect	°	′
1	02	53	☽ ☌ ♇	12	10
2	11	09	☽ ☍ ☉	4	27
2	19	17	☽ ☍ ♄	4	54
3	14	24	☽ ☍ ☿	3	03
4	03	44	☽ ☍ ♂	3	43
4	17	15	☽ ☌ ♆	4	45
6	05	33	☽ ☌ ♅	3	26
6	18	51	☽ ☍ ♃	2	45
8	16	38	☉ ☌ ♄	0	16
10	23	50	☿ ☌ ♂	0	09
13	11	31	☿ ☍ ♆	0	58
13	22	11	☽ ☌ ♀	7	31
14	12	33	☽ ☍ ♇	12	08
16	20	46	☽ ☌ ♄	4	55
16	22	26	♂ ☍ ♆	1	04
17	11	24	☽ ☌ ☉	4	48
19	01	31	☽ ☍ ♆	4	41
19	04	24	☽ ☌ ♂	3	36
19	18	50	☽ ☌ ☿	4	23
20	19	38	☽ ☍ ♅	3	20
21	15	38	☽ ☌ ♃	2	32
25	14	57	♀ ☍ ♇	4	13
28	11	30	☽ ☌ ♇	12	08
28	15	06	☽ ☍ ♀	7	58
30	11	21	☽ ☍ ♄	4	58
31	18	05	☽ ☍ ☉	4	49

AUGUST

Day	h	m	Aspect	°	′
1	02	36	☽ ☌ ♆	4	41
1	10	50	☿ ☍ ♅	2	49
1	19	35	☽ ☍ ♂	3	24
2	14	12	☽ ☌ ♅	3	18
2	15	30	☽ ☍ ☿	6	19
3	12	47	☽ ☍ ♃	2	22
10	18	20	☽ ☍ ♇	12	08
11	23	29	☽ ☌ ♀	7	54
13	10	17	☽ ☌ ♄	5	01
15	06	28	☽ ☍ ♆	4	41
16	01	24	☽ ☌ ☉	4	29
16	21	39	☽ ☌ ♂	3	04
16	23	48	☽ ☍ ♅	3	17
17	02	14	☽ ☌ ☿	8	21
18	07	15	☽ ☌ ♃	2	08
18	14	14	♂ ☍ ♅	0	16
18	19	47	☿ ☌ ♂	5	25
19	01	00	☿ ☍ ♅	5	10
23	20	50	☉ ☌ ☿	4	03
24	18	20	☽ ☌ ♇	12	10
26	17	59	☽ ☍ ♀	7	20
27	01	30	☽ ☍ ♄	5	06
27	18	41	☉ ☍ ♅	0	45
28	11	06	☽ ☌ ♆	4	43
29	09	23	☽ ☍ ☿	7	14
29	22	28	☽ ☌ ♅	3	18
30	02	22	☽ ☍ ☉	3	56
30	12	00	☽ ☍ ♂	2	41
31	08	28	☽ ☍ ♃	1	57
31	16	08	♀ ☌ ♄	1	55

SEPTEMBER

Day	h	m	Aspect	°	′
7	01	41	☽ ☍ ♇	12	11
9	23	47	☽ ☌ ♄	5	10
10	19	22	☽ ☌ ♀	6	16
11	12	47	☽ ☍ ♆	4	46
13	03	49	☽ ☌ ☿	3	11
13	05	09	☽ ☍ ♅	3	21
13	15	53	☿ ☍ ♅	0	16
14	14	29	☽ ☌ ☉	3	05
14	15	05	☽ ☌ ♂	2	11
15	00	55	☽ ☌ ♃	1	43
15	12	55	☉ ☌ ♂	0	53
18	17	50	♀ ☍ ♆	0	46
21	00	04	☽ ☌ ♇	12	12
21	23	48	☉ ☌ ♃	0	59
23	12	33	☽ ☍ ♄	5	14
24	17	49	☽ ☌ ♆	4	50
25	06	25	☽ ☍ ♀	4	55
26	05	16	☽ ☌ ♅	3	24
27	00	17	♂ ☌ ♃	0	10
28	01	12	☽ ☍ ☿	1	02
28	04	06	☽ ☍ ♃	1	31
28	05	02	☽ ☍ ♂	1	39
28	13	09	☽ ☍ ☉	2	09
29	01	21	☿ ☌ ♃	0	33
29	19	21	☿ ☌ ♂	0	42

OCTOBER

Day	h	m	Aspect	°	′
4	10	28	☽ ☍ ♇	12	12
5	18	29	☉ ☌ ☿	1	05
6	15	23	♀ ☍ ♅	0	16
7	12	13	☽ ☌ ♄	5	17
8	20	29	☽ ☍ ♆	4	53
10	12	15	☽ ☍ ♅	3	28
10	21	52	☽ ☌ ♀	3	15
12	20	21	☽ ☌ ♃	1	18
13	09	10	☽ ● ♂	1	00
14	02	48	☽ ● ●	0	56
14	14	22	☽ ● ☿	0	08
18	06	40	☽ ☌ ♇	12	10
20	20	35	☽ ☍ ♄	5	17
21	23	09	☽ ☌ ♆	4	54
23	10	30	☽ ☌ ♅	3	30
25	01	51	☽ ☍ ♀	1	39
25	22	14	☽ ☍ ♃	1	05
26	22	48	☽ ☍ ♂	0	22
28	03	07	☽ ● ☉	0	15
29	09	28	☽ ☍ ☿	0	18
31	19	52	☽ ☍ ♇	12	07

NOVEMBER

Day	h	m	Aspect	°	′
3	22	08	☽ ☌ ♄	5	16
5	02	11	♀ ☌ ♃	0	30
5	04	52	☽ ☍ ♆	4	53
6	20	34	☽ ☍ ♅	3	30
9	16	22	☽ ● ♃	0	50
10	01	32	☽ ● ♀	0	09

Note: The Distances Apart are in Declination

11	04 02	☽●♂	0 23	26	20 07	☽☍☉	2 47	9	23 22	☽☌♂	1 54	23	13 41	☽☍♂	2 35
12	14 27	☽☌☉	1 36	28	05 02	☽☍♇	12 01	10	03 31	☽☌♀	3 12	24	11 54	☽☍♀	4 12
14	03 06	☽●☿	0 53	28	15 04	☽☍☿	2 28	10	08 21	☉☌☿	1 36	24	16 10	☽☍☿	5 54
14	15 57	☽☌♇	12 04	DECEMBER				11	19 32	☽☌☿	5 39	25	13 30	☽☍♇	12 02
17	03 07	☽☍♄	5 12					12	01 29	☽☌☉	3 52	26	15 06	☽☍☉	4 34
18	05 04	☽☌♆	4 51	1	04 28	☽☌♄	5 07	12	04 03	☽☌♇	12 01	28	07 34	☽☌♄	4 56
19	15 41	☽☌♅	3 28	2	13 08	☽☍♆	4 46	13	17 03	☉☌♇	8 03	28	18 23	☿☌♀	1 13
21	03 22	☿☌♇	10 38	4	05 05	☽☍♅	3 23	14	10 03	☽☍♄	5 02	29	21 02	☽☍♆	4 34
22	14 00	☽☍♃	0 35	5	22 13	♀☌♂	1 08	15	13 45	☽☌♆	4 41	31	13 18	☽☍♅	3 09
24	04 03	☽☍♀	1 40	7	10 54	☽●♃	0 17	16	23 09	☽☌♅	3 18				
24	17 33	☽☍♂	1 05	7	23 04	☿☌♇	7 14	20	03 18	☽☍♃	0 02				

PHENOMENA IN 2004

d h **JANUARY**
3 20 ☽ in Apogee
4 18 ⊕ in perihelion
6 22 ☽ Max. Dec.27°N02′
13 23 ☽ Zero Dec.
17 09 ☿ Gt.Elong. 24 ° W.
19 19 ☽ in Perigee
20 06 ☽ Max. Dec.27°S04′
26 17 ☽ Zero Dec.
26 22 ☿ ☋
31 14 ☽ in Apogee

FEBRUARY
3 04 ☽ Max. Dec.27°N08′
6 06 ☿ in aphelion
10 04 ☽ Zero Dec.
16 08 ☽ in Perigee
16 14 ☽ Max. Dec.27°S14′
17 01 ♀ ☊
23 02 ☽ Zero Dec.
28 11 ☽ in Apogee

MARCH
1 12 ☽ Max. Dec.27°N20′
8 10 ☽ Zero Dec.
12 04 ☽ in Perigee
14 19 ☽ Max. Dec.27°S27′
16 14 ☿ ☊
20 07 ☉ enters ♈,Equinox
21 06 ☿ in perihelion
21 10 ☽ Zero Dec.
21 22 ♀ in perihelion
27 07 ☽ in Apogee
28 20 ☽ Max. Dec.27°N32′
29 12 ☿ Gt.Elong. 19 ° E.
29 17 ♀ Gt.Elong. 46 ° E.

APRIL
4 20 ☽ Zero Dec.
8 02 ☽ in Perigee
11 01 ☽ Max. Dec.27°S36′
17 17 ☽ Zero Dec.
19 13 ● Partial eclipse
23 21 ☿ ☋
24 00 ☽ in Apogee
25 03 ☽ Max. Dec.27°N38′

d h **MAY**
2 06 ☽ Zero Dec.
4 05 ☿ in aphelion
4 21 ☽ Total eclipse
6 05 ☽ in Perigee
8 08 ☽ Max. Dec.27°S37′
14 20 ☿ Gt.Elong. 26 ° W.
14 23 ☽ Zero Dec.
21 12 ☽ in Apogee
22 10 ☽ Max. Dec.27°N36′
29 15 ☽ Zero Dec.

JUNE
3 13 ☽ in Perigee
4 18 ☽ Max. Dec.27°S34′
7 15 ♀ ☋
8 09 ☉ Transit of Venus
11 04 ☽ Zero Dec.
12 13 ☿ ☊
17 05 ☿ in perihelion
17 16 ☽ in Apogee
18 16 ☽ Max. Dec.27°N32′
21 01 ☉ enters ♋,Solstice
25 23 ☽ Zero Dec.

JULY
1 23 ☽ in Perigee
2 04 ☽ Max. Dec.27°S32′
5 10 ⊕ in aphelion
8 11 ☽ Zero Dec.
12 08 ♀ in aphelion
14 21 ☽ in Apogee
15 21 ☽ Max. Dec.27°N33′
20 20 ☿ ☋
23 04 ☽ Zero Dec.
27 03 ☿ Gt.Elong. 27 ° E.
29 13 ☽ Max. Dec.27°S36′
30 06 ☽ in Perigee
31 05 ☿ in aphelion

AUGUST
4 18 ☽ Zero Dec.
8 00 ♂ in aphelion
11 10 ☽ in Apogee
12 03 ☽ Max. Dec.27°N40′
17 19 ♀ Gt.Elong. 46 ° W.
19 09 ☽ Zero Dec.
25 21 ☽ Max. Dec.27°S47′
27 06 ☽ in Perigee

d h **SEPTEMBER**
1 04 ☽ Zero Dec.
8 03 ☽ in Apogee
8 10 ☽ Max. Dec.27°N52′
8 12 ☿ ☊
9 14 ☿ Gt.Elong. 18 ° W.
13 04 ☿ in perihelion
15 15 ☽ Zero Dec.
22 03 ☽ Max. Dec.27°S57′
22 16 ☉ enters ♎,Equinox
22 21 ☽ in Perigee
28 13 ☽ Zero Dec.
28 18 ♀ ☊

OCTOBER
5 18 ☽ Max. Dec.28°N01′
5 22 ☽ in Apogee
12 23 ☽ Zero Dec.
14 03 ● Partial eclipse
16 19 ☿ ☋
18 00 ☽ in Perigee
19 08 ☽ Max. Dec.28°S03′
25 20 ☽ Zero Dec.
27 04 ☿ in aphelion
28 03 ☽ Total eclipse

NOVEMBER
1 19 ♀ in perihelion
2 02 ☽ Max. Dec.28°N03′
2 18 ☽ in Apogee
9 09 ☽ Zero Dec.
14 14 ☽ in Perigee
15 15 ☽ Max. Dec.28°S01′
21 01 ☿ Gt.Elong. 22 ° E.
22 02 ☽ Zero Dec.
29 09 ☽ Max. Dec.27°N58′
30 11 ☽ in Apogee

DECEMBER
5 12 ☿ ☊
6 18 ☽ Zero Dec.
10 03 ☿ in perihelion
12 21 ☽ in Perigee
13 01 ☽ Max. Dec.27°S56′
19 07 ☽ Zero Dec.
21 13 ☉ enters ♑,Solstice
26 14 ☽ Max. Dec.27°N54′
27 19 ☽ in Apogee
29 20 ☿ Gt.Elong. 22 ° W.

LOCAL MEAN TIME OF SUNRISE FOR LATITUDES
60° North to 50° South
FOR ALL SUNDAYS IN 2004 (ALL TIMES ARE A.M.)

Date	Northern Latitudes									Southern Latitudes				
	LONDON	60°	55°	50°	40°	30°	20°	10°	0°	10°	20°	30°	40°	50°
	H M	H M	H M	H M	H M	H M	H M	H M	H M	H M	H M	H M	H M	H M
2003 Dec. 28	8 5	9 4	8 25	7 58	7 21	6 55	6 33	6 15	5 58	5 40	5 21	4 59	4 31	3 50
2004 Jan. 4	8 6	9 2	8 25	7 59	7 22	6 57	6 36	6 18	6 1	5 44	5 25	5 4	4 37	3 57
,, 11	8 3	8 55	8 20	7 56	7 22	6 57	6 37	6 20	6 4	5 47	5 30	5 9	4 43	4 6
,, 18	7 57	8 44	8 13	7 51	7 19	6 56	6 38	6 22	6 7	5 51	5 35	5 15	4 51	4 17
,, 25	7 50	8 32	8 4	7 44	7 15	6 54	6 37	6 23	6 9	5 54	5 39	5 21	4 59	4 28
Feb. 1	7 40	8 16	7 53	7 35	7 9	6 51	6 36	6 23	6 10	5 57	5 43	5 28	5 8	4 40
,, 8	7 29	7 59	7 40	7 24	7 2	6 46	6 33	6 22	6 11	6 0	5 46	5 34	5 16	4 52
,, 15	7 15	7 41	7 25	7 12	6 54	6 40	6 30	6 20	6 11	6 2	5 50	5 39	5 24	5 4
,, 22	7 2	7 21	7 9	6 59	6 45	6 34	6 26	6 18	6 10	6 3	5 54	5 45	5 33	5 17
,, 29	6 47	7 1	6 53	6 45	6 35	6 26	6 21	6 16	6 9	6 4	5 57	5 50	5 41	5 29
Mar. 7	6 32	6 41	6 36	6 31	6 24	6 19	6 15	6 12	6 8	6 4	5 59	5 55	5 48	5 40
,, 14	6 17	6 20	6 18	6 16	6 13	6 11	6 9	6 8	6 6	6 4	6 2	6 0	5 56	5 52
,, 21	6 1	5 58	6 1	6 0	6 1	6 2	6 3	6 4	6 4	6 4	6 4	6 4	6 3	6 2
,, 28	5 45	5 37	5 43	5 45	5 50	5 54	5 57	6 0	6 2	6 4	6 6	6 8	6 10	6 13
Apr. 4	5 29	5 16	5 25	5 30	5 39	5 46	5 51	5 56	6 0	6 4	6 8	6 12	6 18	6 25
,, 11	5 14	4 55	5 7	5 15	5 28	5 38	5 46	5 52	5 58	6 4	6 10	6 16	6 25	6 35
,, 18	4 59	4 35	4 50	5 1	5 18	5 30	5 40	5 48	5 56	6 4	6 12	6 21	6 32	6 46
,, 25	4 45	4 15	4 34	4 48	5 8	5 23	5 35	5 45	5 55	6 4	6 14	6 25	6 39	6 58
May 2	4 32	3 56	4 18	4 35	4 59	5 17	5 30	5 42	5 54	6 4	6 16	6 29	6 45	7 8
,, 9	4 18	3 38	4 4	4 23	4 51	5 11	5 27	5 40	5 53	6 5	6 18	6 34	6 52	7 18
,, 16	4 7	3 20	3 51	4 13	4 44	5 6	5 24	5 39	5 53	6 7	6 21	6 38	6 59	7 28
,, 23	4 0	3 5	3 40	4 4	4 38	5 2	5 21	5 38	5 53	6 9	6 24	6 42	7 5	7 38
,, 30	3 53	2 53	3 31	3 58	4 33	5 0	5 20	5 38	5 54	6 10	6 27	6 46	7 11	7 46
June 6	3 48	2 43	3 24	3 53	4 31	4 58	5 20	5 38	5 55	6 12	6 30	6 50	7 16	7 52
,, 13	3 45	2 37	3 21	3 50	4 30	4 57	5 20	5 39	5 56	6 14	6 32	6 54	7 20	7 57
,, 20	3 45	2 35	3 20	3 51	4 31	4 59	5 21	5 40	5 57	6 16	6 34	6 56	7 22	8 0
,, 27	3 48	2 38	3 23	3 53	4 33	5 1	5 23	5 42	5 59	6 17	6 35	6 56	7 23	8 0
July 4	3 52	2 45	3 28	3 58	4 36	5 3	5 25	5 43	6 1	6 17	6 36	6 56	7 22	7 59
,, 11	3 57	2 56	3 35	4 4	4 40	5 7	5 27	5 45	6 2	6 18	6 35	6 55	7 20	7 55
,, 18	4 4	3 9	3 45	4 11	4 46	5 11	5 30	5 47	6 2	6 18	6 34	6 53	7 16	7 49
,, 25	4 14	3 24	3 56	4 19	4 52	5 16	5 33	5 48	6 2	6 18	6 32	6 49	7 12	7 41
Aug. 1	4 25	3 40	4 8	4 29	4 58	5 19	5 35	5 49	6 2	6 16	6 29	6 45	7 5	7 31
,, 8	4 36	3 57	4 21	4 39	5 5	5 23	5 38	5 50	6 2	6 14	6 26	6 40	6 57	7 20
,, 15	4 46	4 14	4 34	4 49	5 11	5 27	5 40	5 51	6 1	6 11	6 21	6 33	6 47	7 7
,, 22	4 57	4 31	4 47	4 59	5 18	5 31	5 42	5 51	6 0	6 8	6 16	6 26	6 37	6 54
,, 29	5 8	4 48	5 1	5 10	5 25	5 35	5 44	5 51	5 58	6 4	6 11	6 19	6 28	6 41
Sept. 5	5 19	5 5	5 14	5 20	5 32	5 39	5 46	5 51	5 55	6 1	6 5	6 11	6 18	6 27
,, 12	5 30	5 21	5 27	5 31	5 39	5 43	5 47	5 50	5 53	5 57	5 59	6 2	6 6	6 11
,, 19	5 41	5 37	5 40	5 41	5 45	5 47	5 48	5 49	5 51	5 52	5 52	5 53	5 54	5 55
,, 26	5 52	5 54	5 53	5 52	5 52	5 51	5 50	5 49	5 48	5 47	5 46	5 44	5 43	5 40
Oct. 3	6 3	6 10	6 6	6 3	5 58	5 55	5 51	5 48	5 46	5 43	5 40	5 36	5 32	5 25
,, 10	6 15	6 27	6 19	6 14	6 5	5 59	5 53	5 48	5 44	5 39	5 34	5 28	5 20	5 10
,, 17	6 27	6 45	6 33	6 25	6 12	6 3	5 55	5 49	5 42	5 35	5 28	5 20	5 9	4 56
,, 24	6 39	7 2	6 48	6 36	6 20	6 8	5 58	5 49	5 41	5 32	5 23	5 13	4 59	4 41
,, 31	6 52	7 20	7 2	6 48	6 28	6 13	6 1	5 50	5 40	5 30	5 19	5 6	4 50	4 28
Nov. 7	7 4	7 38	7 16	6 59	6 36	6 18	6 4	5 52	5 40	5 28	5 16	5 1	4 42	4 17
,, 14	7 16	7 56	7 30	7 11	6 44	6 24	6 8	5 54	5 41	5 28	5 13	4 57	4 36	4 7
,, 21	7 28	8 13	7 43	7 22	6 52	6 30	6 12	5 57	5 42	5 28	5 12	4 53	4 30	3 58
,, 28	7 39	8 29	7 56	7 32	6 59	6 35	6 17	6 0	5 44	5 29	5 12	4 52	4 27	3 51
Dec. 5	7 48	8 43	8 7	7 42	7 6	6 41	6 22	6 3	5 47	5 31	5 12	4 51	4 25	3 47
,, 12	7 56	8 53	8 16	7 49	7 12	6 46	6 26	6 7	5 50	5 33	5 14	4 52	4 25	3 45
,, 19	8 1	9 0	8 22	7 55	7 17	6 51	6 30	6 11	5 53	5 36	5 17	4 55	4 27	3 46
,, 26	8 5	9 3	8 25	7 58	7 20	6 54	6 33	6 14	5 57	5 39	5 21	4 59	4 30	3 50
2005 Jan. 2	8 5	9 2	8 25	7 58	7 22	6 56	6 35	6 17	6 0	5 43	5 25	5 3	4 36	3 56

Example:—To find the time of Sunrise in Jamaica (Latitude 18° N.) on Wednesday June 16th. 2004. On June 13th. L.M.T. = 5h. 20m. + $\frac{2}{10}$ × 19 m. = 5h. 24m., on June 20th. L.M.T. = 5h. 21m. + $\frac{2}{10}$ × 19m. = 5h. 25m., therefore L.M.T. on June 16th. = 5h. 24m. + $\frac{3}{7}$ × 1m. = 5h. 24m. A.M.

LOCAL MEAN TIME OF SUNSET FOR LATITUDES
60° North to 50° South
FOR ALL SUNDAYS IN 2004 (ALL TIMES ARE P.M.)

Date	Northern Latitudes								Southern Latitudes					
	LONDON	60°	55°	50°	40°	30°	20°	10°	0°	10°	20°	30°	40°	50°
	H M	H M	H M	H M	H M	H M	H M	H M	H M	H M	H M	H M	H M	H M
2003 Dec. 28	3 57	2 59	3 37	4 4	4 42	5 8	5 30	5 48	6 5	6 23	6 41	7 3	7 31	8 11
2004 Jan. 4	4 4	3 8	3 45	4 11	4 47	5 13	5 34	5 51	6 8	6 25	6 43	7 5	7 32	8 11
,, 11	4 13	3 21	3 55	4 20	4 54	5 18	5 38	5 55	6 11	6 28	6 45	7 6	7 31	8 8
,, 18	4 24	3 36	4 7	4 30	5 1	5 24	5 42	5 58	6 14	6 29	6 45	7 5	7 28	8 2
,, 25	4 36	3 54	4 20	4 41	5 10	5 30	5 47	6 2	6 16	6 30	6 45	7 3	7 24	7 55
Feb. 1	4 48	4 12	4 35	4 53	5 18	5 36	5 51	6 5	6 17	6 30	6 43	6 59	7 19	7 46
,, 8	5 0	4 30	4 50	5 5	5 26	5 42	5 55	6 7	6 18	6 28	6 40	6 54	7 12	7 34
,, 15	5 13	4 49	5 4	5 17	5 35	5 48	5 59	6 9	6 18	6 26	6 37	6 49	7 4	7 22
,, 22	5 26	5 7	5 19	5 29	5 43	5 54	6 2	6 10	6 17	6 24	6 33	6 42	6 53	7 9
,, 29	5 39	5 25	5 33	5 41	5 51	5 59	6 5	6 11	6 16	6 21	6 28	6 34	6 42	6 54
Mar. 7	5 51	5 42	5 48	5 53	5 58	6 3	6 7	6 11	6 14	6 18	6 22	6 26	6 32	6 39
,, 14	6 3	6 0	6 2	6 4	6 6	6 8	6 9	6 11	6 12	6 14	6 16	6 18	6 21	6 25
,, 21	6 14	6 16	6 16	6 15	6 13	6 12	6 11	6 11	6 10	6 10	6 11	6 10	6 10	6 11
,, 28	6 26	6 33	6 30	6 26	6 20	6 16	6 13	6 10	6 8	6 6	6 5	6 2	5 59	5 56
Apr. 4	6 38	6 51	6 43	6 37	6 27	6 20	6 15	6 10	6 6	6 2	5 58	5 53	5 47	5 40
,, 11	6 50	7 8	6 57	6 48	6 34	6 25	6 17	6 10	6 4	5 59	5 52	5 45	5 38	5 26
,, 18	7 1	7 26	7 11	6 59	6 41	6 29	6 19	6 11	6 3	5 55	5 47	5 37	5 27	5 12
,, 25	7 13	7 43	7 24	7 9	6 48	6 33	6 21	6 11	6 1	5 52	5 42	5 30	5 16	4 58
May 2	7 25	8 1	7 38	7 20	6 55	6 38	6 24	6 12	6 0	5 49	5 37	5 24	5 7	4 45
,, 9	7 36	8 18	7 51	7 31	7 2	6 42	6 27	6 13	6 0	5 47	5 34	5 19	4 59	4 34
,, 16	7 47	8 34	8 3	7 41	7 9	6 47	6 29	6 14	6 0	5 46	5 31	5 14	4 53	4 24
,, 23	7 57	8 50	8 15	7 51	7 15	6 51	6 32	6 16	6 0	5 45	5 29	5 11	4 48	4 15
,, 30	8 5	9 4	8 25	7 58	7 21	6 55	6 35	6 17	6 1	5 45	5 27	5 8	4 43	4 9
June 6	8 12	9 15	8 33	8 5	7 26	6 59	6 38	6 19	6 2	5 45	5 28	5 7	4 41	4 6
,, 13	8 17	9 23	8 40	8 10	7 30	7 2	6 40	6 21	6 4	5 47	5 29	5 8	4 40	4 4
,, 20	8 20	9 28	8 43	8 13	7 32	7 4	6 42	6 23	6 5	5 48	5 30	5 8	4 42	4 4
,, 27	8 22	9 27	8 43	8 13	7 33	7 5	6 43	6 24	6 7	5 49	5 31	5 10	4 43	4 6
July 4	8 20	9 23	8 40	8 11	7 32	7 5	6 44	6 25	6 8	5 51	5 33	5 12	4 46	4 10
,, 11	8 15	9 14	8 35	8 7	7 30	7 3	6 43	6 26	6 9	5 53	5 35	5 15	4 51	4 16
,, 18	8 8	9 2	8 26	8 1	7 26	7 1	6 42	6 25	6 10	5 54	5 38	5 19	4 56	4 24
,, 25	7 59	8 48	8 16	7 53	7 21	6 57	6 40	6 24	6 10	5 56	5 41	5 23	5 2	4 33
Aug. 1	7 48	8 31	8 3	7 43	7 14	6 53	6 37	6 23	6 10	5 57	5 43	5 28	5 8	4 42
,, 8	7 36	8 12	7 49	7 31	7 6	6 48	6 33	6 21	6 9	5 58	5 45	5 32	5 15	4 51
,, 15	7 23	7 53	7 34	7 19	6 57	6 41	6 29	6 18	6 8	5 58	5 47	5 35	5 21	5 1
,, 22	7 8	7 33	7 18	7 5	6 46	6 34	6 24	6 15	6 6	5 58	5 49	5 39	5 28	5 12
,, 29	6 53	7 13	7 0	6 50	6 36	6 26	6 18	6 11	6 4	5 58	5 51	5 43	5 34	5 22
Sept. 5	6 37	6 52	6 43	6 35	6 25	6 18	6 12	6 7	6 2	5 58	5 53	5 47	5 41	5 32
,, 12	6 21	6 30	6 25	6 20	6 13	6 9	6 6	6 3	6 0	5 57	5 54	5 51	5 47	5 43
,, 19	6 5	6 9	6 6	6 5	6 2	6 0	5 59	5 58	5 57	5 56	5 55	5 55	5 54	5 53
,, 26	5 49	5 48	5 48	5 50	5 50	5 51	5 53	5 54	5 55	5 56	5 57	5 59	6 1	6 4
Oct. 3	5 33	5 27	5 31	5 34	5 39	5 43	5 47	5 50	5 52	5 56	5 59	6 3	6 8	6 14
,, 10	5 18	5 6	5 14	5 19	5 28	5 35	5 41	5 46	5 50	5 55	6 1	6 7	6 15	6 25
,, 17	5 3	4 45	4 57	5 4	5 17	5 28	5 35	5 42	5 49	5 55	6 3	6 12	6 22	6 37
,, 24	4 49	4 26	4 41	4 51	5 8	5 21	5 30	5 39	5 48	5 56	6 6	6 17	6 30	6 48
,, 31	4 35	4 7	4 25	4 39	4 59	5 14	5 26	5 37	5 47	5 58	6 9	6 22	6 38	7 0
Nov. 7	4 23	3 50	4 11	4 28	4 51	5 9	5 23	5 35	5 47	6 0	6 13	6 28	6 46	7 11
,, 14	4 11	3 33	3 59	4 18	4 45	5 5	5 21	5 35	5 48	6 2	6 16	6 33	6 54	7 23
,, 21	4 3	3 19	3 48	4 9	4 40	5 2	5 19	5 35	5 50	6 4	6 20	6 39	7 2	7 35
,, 28	3 56	3 7	3 40	4 3	4 36	5 0	5 19	5 36	5 53	6 8	6 25	6 45	7 9	7 45
Dec. 5	3 53	2 59	3 34	3 59	4 35	5 0	5 20	5 38	5 55	6 11	6 29	6 50	7 16	7 54
,, 12	3 51	2 54	3 32	3 58	4 35	5 1	5 22	5 40	5 58	6 15	6 34	6 55	7 23	8 3
,, 19	3 53	2 53	3 32	3 59	4 37	5 4	5 25	5 43	6 2	6 18	6 37	6 59	7 28	8 8
,, 26	3 56	2 58	3 36	4 3	4 41	5 7	5 28	5 47	6 5	6 22	6 40	7 3	7 31	8 11
2005 Jan. 2	4 3	3 6	3 44	4 10	4 46	5 12	5 33	5 51	6 8	6 25	6 43	7 5	7 32	8 12

Example:—To find the time of Sunset in Canberra (Latitude 35·3°S.) on Friday July 30th. 2004. On July 25th. L.M.T. = 5h. 23m. − $\frac{5 \cdot 3}{10}$ × 21m. = 5h. 12m., on August 1st. L.M.T. = 5h. 28m. − $\frac{5 \cdot 3}{10}$ × 20m. = 5h. 17m., therefore L.M.T. on July 30th. = 5h. 12m. + $\frac{5}{7}$ × 5m. = 5h. 16m. P.M.

TABLES OF HOUSES FOR LONDON, Latitude 51º 32' *N.*

Sidereal Time. H. M. S.	10 ♈ º	11 ♉ º	12 ♊ º	Ascen ♋ º '	2 ♌ º	3 ♍ º
0 0 0	0	9	22	26 36	12	3
0 3 40	1	10	23	27 17	13	3
0 7 20	2	11	24	27 56	14	4
0 11 0	3	12	25	28 42	15	5
0 14 41	4	13	25	29 17	15	6
0 18 21	5	14	26	29 55	16	7
0 22 2	6	15	27	0♌34	17	8
0 25 42	7	16	28	1 14	18	8
0 29 23	8	17	29	1 55	18	9
0 33 4	9	18	♋	2 33	19	10
0 36 45	10	19	1	3 14	20	11
0 40 26	11	20	1	3 54	20	12
0 44 8	12	21	2	4 33	21	13
0 47 50	13	22	3	5 12	22	14
0 51 32	14	23	4	5 52	23	15
0 55 14	15	24	5	6 30	23	15
0 58 57	16	25	6	7 9	24	16
1 2 40	17	26	6	7 50	25	17
1 6 23	18	27	7	8 30	26	18
1 10 7	19	28	8	9 9	26	19
1 13 51	20	29	9	9 48	27	19
1 17 35	21	♊	10	10 28	28	20
1 21 20	22	1	10	11 8	28	21
1 25 6	23	2	11	11 48	29	22
1 28 52	24	3	12	12 28	♍	23
1 32 38	25	4	13	13 8	1	24
1 36 25	26	5	14	13 48	1	25
1 40 12	27	6	14	14 28	2	25
1 44 0	28	7	15	15 8	3	26
1 47 48	29	8	16	15 48	4	27
1 51 37	30	9	17	16 28	4	28

Sidereal Time. H. M. S.	10 ♉ º	11 ♊ º	12 ♋ º	Ascen ♌ º '	2 ♍ º	3 ♍ º
1 51 37	0	9	17	16 28	4	28
1 55 27	1	10	18	17 8	5	29
1 59 17	2	11	19	17 48	6	♎
2 3 8	3	12	19	18 28	7	1
2 6 59	4	13	20	19 9	8	2
2 10 51	5	14	21	19 49	9	2
2 14 44	6	15	22	20 29	9	3
2 18 37	7	16	22	21 10	10	4
2 22 31	8	17	23	21 51	11	5
2 26 25	9	18	24	22 32	11	6
2 30 20	10	19	25	23 14	12	7
2 34 16	11	20	25	23 55	13	8
2 38 13	12	21	26	24 36	14	9
2 42 10	13	22	27	25 17	15	10
2 46 8	14	23	28	25 58	15	11
2 50 7	15	24	29	26 40	16	12
2 54 7	16	25	29	27 22	17	12
2 58 7	17	26	♌	28 4	18	13
3 2 8	18	27	1	28 46	18	14
3 6 9	19	27	2	29 28	19	15
3 10 12	20	28	3	0♍12	20	16
3 14 15	21	29	3	0 54	21	17
3 18 19	22	♋	4	1 36	22	18
3 22 23	23	1	5	2 20	22	19
3 26 29	24	2	6	3 2	23	20
3 30 35	25	3	7	3 45	24	21
3 34 41	26	4	7	4 28	25	22
3 38 49	27	5	8	5 11	26	23
3 42 57	28	6	9	5 54	27	24
3 47 6	29	7	10	6 38	27	25
3 51 15	30	8	11	7 21	28	25

Sidereal Time. H. M. S.	10 ♊ º	11 ♋ º	12 ♌ º	Ascen ♍ º '	2 ♍ º	3 ♎ º
3 51 15	0	8	11	7 21	28	25
3 55 25	1	9	12	8 5	29	26
3 59 36	2	10	12	8 49	♎	27
4 3 48	3	10	13	9 33	1	28
4 8 0	4	11	14	10 17	2	29
4 12 13	5	12	15	11 2	2	♏
4 16 26	6	13	16	11 46	3	1
4 20 40	7	14	17	12 30	4	2
4 24 55	8	15	17	13 15	5	3
4 29 10	9	16	18	14 0	6	4
4 33 26	10	17	19	14 45	7	5
4 37 42	11	18	20	15 30	8	6
4 41 59	12	19	21	16 15	8	7
4 46 16	13	20	21	17 0	9	8
4 50 34	14	21	22	17 45	10	9
4 54 52	15	22	23	18 30	11	10
4 59 10	16	23	24	19 16	12	11
5 3 29	17	24	25	20 3	13	12
5 7 49	18	25	26	20 49	14	13
5 12 9	19	25	27	21 35	14	14
5 16 29	20	26	28	22 20	15	14
5 20 49	21	27	28	23 6	16	15
5 25 9	22	28	29	23 51	17	16
5 29 30	23	29	♏	24 37	18	17
5 33 51	24	♌	1	25 23	19	18
5 38 12	25	1	2	26 9	20	19
5 42 34	26	2	3	26 55	21	20
5 46 55	27	3	4	27 41	21	21
5 51 17	28	4	4	28 27	22	22
5 55 38	29	5	5	29 13	23	23
6 0 0	30	6	6	30 0	24	24

Sidereal Time. H. M. S.	10 ♋ º	11 ♌ º	12 ♍ º	Ascen ♎ º '	2 ♎ º	3 ♏ º
6 0 0	0	6	6	0 0	24	24
6 4 22	1	7	7	0 47	25	25
6 8 43	2	8	8	1 33	26	26
6 13 5	3	9	9	2 19	27	27
6 17 26	4	10	10	3 5	27	28
6 21 48	5	11	10	3 51	28	29
6 26 9	6	12	11	4 37	29	♐
6 30 30	7	13	12	5 23	♏	1
6 34 51	8	14	13	6 9	1	2
6 39 11	9	15	14	6 55	2	3
6 43 31	10	16	15	7 40	2	4
6 47 51	11	16	16	8 26	3	4
6 52 11	12	17	16	9 12	4	5
6 56 31	13	18	17	9 58	5	6
7 0 50	14	19	18	10 43	6	7
7 5 8	15	20	19	11 28	7	8
7 9 26	16	21	20	12 14	8	9
7 13 44	17	22	21	12 59	8	10
7 18 1	18	23	22	13 45	9	11
7 22 18	19	24	23	14 30	10	12
7 26 34	20	25	24	15 15	11	13
7 30 50	21	26	25	16 0	12	14
7 35 5	22	27	25	16 45	13	15
7 39 20	23	28	26	17 30	13	16
7 43 34	24	29	27	18 15	14	17
7 47 47	25	♍	28	18 59	15	18
7 52 0	26	1	29	19 43	16	19
7 56 12	27	2	29	20 27	17	20
8 0 24	28	3	♎	21 11	18	20
8 4 35	29	4	1	21 56	18	21
8 8 45	30	5	2	22 40	19	22

Sidereal Time. H. M. S.	10 ♌ º	11 ♍ º	12 ♎ º	Ascen ♎ º '	2 ♏ º	3 ♐ º
8 8 45	0	5	2	22 40	19	22
8 12 54	1	5	3	23 24	20	23
8 17 3	2	6	3	24 7	21	24
8 21 11	3	7	4	24 50	22	25
8 25 19	4	8	5	25 34	23	26
8 29 26	5	9	6	26 18	23	27
8 33 31	6	10	7	27 1	24	28
8 37 37	7	11	8	27 44	25	29
8 41 41	8	12	8	28 26	26	♑
8 45 45	9	13	9	29 8	27	1
8 49 48	10	14	10	29 50	27	2
8 53 51	11	15	11	0♏32	28	3
8 57 52	12	16	12	1 15	29	4
9 1 53	13	17	12	1 58	♐	4
9 5 53	14	18	13	2 39	1	5
9 9 53	15	18	14	3 21	1	6
9 13 52	16	19	15	4 3	2	7
9 17 50	17	20	16	4 44	3	8
9 21 47	18	21	16	5 26	3	9
9 25 44	19	22	17	6 7	4	10
9 29 40	20	23	18	6 48	5	11
9 33 35	21	24	18	7 29	5	12
9 37 29	22	25	19	8 9	6	13
9 41 23	23	26	20	8 50	7	14
9 45 16	24	27	21	9 31	8	15
9 49 9	25	28	22	10 11	9	16
9 53 1	26	28	23	10 51	9	17
9 56 52	27	29	23	11 32	10	18
10 0 43	28	♎	24	12 12	11	19
10 4 33	29	1	25	12 53	12	20
10 8 23	30	2	26	13 33	13	20

Sidereal Time. H. M. S.	10 ♍ º	11 ♎ º	12 ♎ º	Ascen ♏ º '	2 ♐ º	3 ♑ º
10 8 23	0	2	26	13 33	13	20
10 12 12	1	3	26	14 13	14	21
10 16 0	2	4	27	14 53	15	22
10 19 48	3	5	28	15 33	15	23
10 23 35	4	5	29	16 13	16	24
10 27 22	5	6	29	16 52	17	25
10 31 8	6	7	♏	17 32	18	26
10 34 54	7	8	1	18 12	19	27
10 38 40	8	9	2	18 52	20	28
10 42 25	9	10	2	19 31	20	29
10 46 9	10	11	3	20 11	21	♒
10 49 53	11	11	4	20 50	22	1
10 53 37	12	12	4	21 30	23	2
10 57 20	13	13	5	22 9	24	3
11 1 3	14	14	6	22 49	24	4
11 4 46	15	15	7	23 28	25	5
11 8 28	16	16	7	24 8	26	6
11 12 10	17	17	8	24 47	27	8
11 15 52	18	17	9	25 27	28	9
11 19 34	19	18	10	26 6	29	10
11 23 15	20	19	10	26 45	♑	11
11 26 56	21	20	11	27 25	0	12
11 30 37	22	21	12	28 5	1	13
11 34 18	23	22	13	28 44	2	14
11 37 58	24	23	13	29 24	3	15
11 41 39	25	23	14	0♐3	4	16
11 45 19	26	24	15	0 43	5	17
11 49 0	27	25	15	1 23	6	18
11 52 40	28	26	16	2 3	6	19
11 56 20	29	27	17	2 43	7	20
12 0 0	30	27	17	3 23	8	21

TABLES OF HOUSES FOR LONDON, Latitude 51° 32' N.

Sidereal Time.	10 ♎	11 ♎	12 ♏	Ascen ♐	2 ♑	3 ♒
H. M. S.	°	°	°	° '	°	°
12 0 0	0	27	17	3 23	8	21
12 3 40	1	28	18	4 4	9	23
12 7 20	2	29	19	4 45	10	24
12 11 0	3	♏	20	5 26	11	25
12 14 41	4	1	20	6 7	12	26
12 18 21	5	1	21	6 48	13	27
12 22 2	6	2	22	7 29	14	28
12 25 42	7	3	23	8 10	15	29
12 29 23	8	4	23	8 51	16	♓
12 33 4	9	5	24	9 33	17	2
12 36 45	10	6	25	10 15	18	3
12 40 26	11	6	25	10 57	19	4
12 44 8	12	7	26	11 40	20	5
12 47 50	13	8	27	12 22	21	6
12 51 32	14	9	28	13 4	22	7
12 55 14	15	10	28	13 47	23	9
12 58 57	16	11	29	14 30	24	10
13 2 40	17	11	♐	15 14	25	11
13 6 23	18	12	1	15 59	26	12
13 10 7	19	13	1	16 44	27	13
13 13 51	20	14	2	17 29	28	15
13 17 35	21	15	3	18 14	29	16
13 21 20	22	16	4	19 0	♒	17
13 25 6	23	16	4	19 45	1	18
13 28 52	24	17	5	20 31	2	20
13 32 38	25	18	6	21 18	4	21
13 36 25	26	19	7	22 6	5	22
13 40 12	27	20	7	22 54	6	23
13 44 0	28	21	8	23 42	7	25
13 47 48	29	21	9	24 31	8	26
13 51 37	30	22	10	25 20	10	27

Sidereal Time.	10 ♏	11 ♏	12 ♐	Ascen ♐	2 ♒	3 ♓
H. M. S.	°	°	°	° '	°	°
13 51 37	0	22	10	25 20	10	27
13 55 27	1	23	11	26 10	11	28
13 59 17	2	24	11	27 2	12	♈
14 3 8	3	25	12	27 53	14	1
14 6 59	4	26	13	28 45	15	2
14 10 51	5	26	14	29 36	16	4
14 14 44	6	27	15	0♑29	18	5
14 18 37	7	28	15	1 23	19	6
14 22 31	8	29	16	2 18	20	8
14 26 25	9	♐	17	3 14	22	9
14 30 20	10	1	18	4 11	23	10
14 34 16	11	2	19	5 9	25	11
14 38 13	12	2	20	6 7	26	13
14 42 10	13	3	20	7 6	28	14
14 46 8	14	4	21	8 6	29	15
14 50 7	15	5	22	9 8	♓	17
14 54 7	16	6	23	10 11	2	18
14 58 7	17	7	24	11 15	4	19
15 2 8	18	8	25	12 20	6	21
15 6 9	19	9	26	13 27	8	22
15 10 12	20	9	27	14 35	9	23
15 14 15	21	10	27	15 43	11	24
15 18 19	22	11	28	16 52	13	26
15 22 23	23	12	29	18 3	14	27
15 26 29	24	13	♑	19 16	16	28
15 30 35	25	14	1	20 32	17	29
15 34 41	26	15	2	21 48	19	♉
15 38 49	27	16	3	23 8	21	2
15 42 57	28	17	4	24 29	22	3
15 47 6	29	18	5	25 51	24	5
15 51 15	30	18	6	27 15	26	6

Sidereal Time.	10 ♐	11 ♐	12 ♑	Ascen ♑	2 ♓	3 ♉
H. M. S.	°	°	°	° '	°	°
15 51 15	0	18	6	27 15	26	6
15 55 25	1	19	7	28 42	28	7
15 59 36	2	20	8	0♒11	♈	9
16 3 48	3	21	9	1 42	2	10
16 8 0	4	22	10	3 16	3	11
16 12 13	5	23	11	4 53	5	12
16 16 26	6	24	12	6 32	7	14
16 20 40	7	25	13	8 13	9	15
16 24 55	8	26	14	9 57	11	16
16 29 10	9	27	16	11 44	12	17
16 33 26	10	28	17	13 34	14	18
16 37 42	11	29	18	15 26	16	20
16 41 59	12	♑	19	17 20	18	21
16 46 16	13	1	20	19 18	20	22
16 50 34	14	2	21	21 22	21	23
16 54 52	15	3	22	23 29	23	25
16 59 10	16	4	24	25 36	25	26
17 3 29	17	5	25	27 46	27	27
17 7 49	18	6	26	0♓ 0	28	28
17 12 9	19	7	27	2 19	♉	29
17 16 29	20	8	29	4 40	2	♊
17 20 49	21	9	♒	7 2	3	1
17 25 9	22	10	1	9 26	5	2
17 29 30	23	11	3	11 54	7	3
17 33 51	24	12	4	14 24	8	5
17 38 12	25	13	5	17 0	10	6
17 42 34	26	14	7	19 33	11	7
17 46 55	27	15	8	22 6	13	8
17 51 17	28	16	10	24 40	14	9
17 55 38	29	17	11	27 20	16	10
18 0 0	30	18	13	30 0	17	11

Sidereal Time.	10 ♑	11 ♑	12 ♒	Ascen ♈	2 ♉	3 ♊
H. M. S.	°	°	°	° '	°	°
18 0 0	0	18	13	0 0	17	11
18 4 22	1	20	14	2 39	19	13
18 8 43	2	21	16	5 19	20	14
18 13 5	3	22	17	7 55	22	15
18 17 26	4	23	19	10 29	23	16
18 21 48	5	24	20	13 2	25	17
18 26 9	6	25	22	15 36	26	18
18 30 30	7	26	23	18 6	28	19
18 34 51	8	27	25	20 34	29	20
18 39 11	9	29	27	22 59	♊	21
18 43 31	10	♒	28	25 22	1	22
18 47 51	11	1	♓	27 42	2	23
18 52 11	12	2	2	29 58	4	24
18 56 31	13	3	3	2♉13	5	25
19 0 50	14	4	5	4 24	6	26
19 5 8	15	6	7	6 30	8	27
19 9 26	16	7	9	8 36	9	28
19 13 44	17	8	10	10 40	10	29
19 18 1	18	9	12	12 39	11	♋
19 22 18	19	10	14	14 35	12	1
19 26 34	20	12	16	16 28	13	2
19 30 50	21	13	18	18 17	14	3
19 35 5	22	14	19	20 3	16	4
19 39 20	23	15	21	21 48	17	5
19 43 34	24	16	23	23 29	18	6
19 47 47	25	18	25	25 9	19	7
19 52 0	26	19	27	26 45	20	8
19 56 12	27	20	28	28 18	21	9
20 0 24	28	21	♈	29 49	22	10
20 4 35	29	23	2	1♊19	23	11
20 8 45	30	24	4	2 45	24	12

Sidereal Time.	10 ♒	11 ♒	12 ♈	Ascen ♊	2 ♊	3 ♋
H. M. S.	°	°	°	° '	°	°
20 8 45	0	24	4	2 45	24	12
20 12 54	1	25	6	4 9	25	12
20 17 3	2	27	7	5 32	26	13
20 21 11	3	28	9	6 53	27	14
20 25 19	4	29	11	8 12	28	15
20 29 26	5	♓	13	9 27	29	16
20 33 31	6	2	14	10 43	♋	17
20 37 37	7	3	16	11 58	1	18
20 41 41	8	4	18	13 9	2	19
20 45 45	9	6	19	14 18	3	20
20 49 48	10	7	21	15 25	3	21
20 53 51	11	8	23	16 32	4	21
20 57 52	12	9	24	17 39	5	22
21 1 53	13	11	26	18 44	6	23
21 5 53	14	12	28	19 48	7	24
21 9 53	15	13	29	20 51	8	25
21 13 52	16	15	♉	21 53	9	26
21 17 50	17	16	2	22 53	10	27
21 21 47	18	17	4	23 52	10	28
21 25 44	19	19	5	24 51	11	28
21 29 40	20	20	7	25 48	12	29
21 33 35	21	22	8	26 44	13	♌
21 37 29	22	23	10	27 40	14	1
21 41 23	23	24	11	28 34	15	2
21 45 16	24	25	13	29 29	15	3
21 49 9	25	26	14	0♋22	16	4
21 53 1	26	28	15	1 15	17	4
21 56 52	27	29	16	2 7	18	5
22 0 43	28	♈	18	2 57	19	6
22 4 33	29	2	19	3 48	19	7
22 8 23	30	3	20	4 38	20	8

Sidereal Time.	10 ♓	11 ♈	12 ♉	Ascen ♋	2 ♋	3 ♌
H. M. S.	°	°	°	° '	°	°
22 8 23	0	3	20	4 38	20	8
22 12 12	1	4	21	5 28	21	8
22 16 0	2	6	23	6 17	22	9
22 19 48	3	7	24	7 5	23	10
22 23 35	4	8	25	7 53	23	11
22 27 22	5	9	26	8 42	24	12
22 31 8	6	10	28	9 29	25	13
22 34 54	7	12	29	10 16	26	14
22 38 40	8	13	♊	11 2	26	14
22 42 25	9	14	1	11 47	27	15
22 46 9	10	15	2	12 31	28	16
22 49 53	11	17	3	13 16	29	17
22 53 37	12	18	4	14 1	29	18
22 57 20	13	19	5	14 45	♌	19
23 1 3	14	20	6	15 28	1	19
23 4 46	15	21	7	16 11	2	20
23 8 28	16	23	8	16 54	2	21
23 12 10	17	24	9	17 37	3	22
23 15 52	18	25	10	18 20	4	23
23 19 34	19	26	11	19 3	5	24
23 23 15	20	27	12	19 45	5	24
23 26 56	21	29	13	20 26	6	25
23 30 37	22	♉	14	21 8	7	26
23 34 18	23	1	15	21 50	7	27
23 37 58	24	2	16	22 31	8	28
23 41 39	25	3	17	23 12	9	28
23 45 19	26	4	18	23 53	9	29
23 49 0	27	5	19	24 32	10	♍
23 52 40	28	6	20	25 15	11	1
23 56 20	29	8	21	25 56	12	2
24 0 0	30	9	22	26 36	13	3

TABLES OF HOUSES FOR LIVERPOOL, Latitude 53° 25′ *N.*

Sidereal Time.	10 ♈	11 ♉	12 ♊	Ascen ♋	2 ♌	3 ♍
H. M. S.	°	°	°	° ′	°	°
0 0 0	0	9	24	28 12	14	3
0 3 40	1	10	25	28 51	14	4
0 7 20	2	12	25	29 30	15	4
0 11 0	3	13	26	0♌ 9	16	5
0 14 41	4	14	27	0 48	17	6
0 18 21	5	15	28	1 27	17	7
0 22 2	6	16	29	2 6	18	8
0 25 42	7	17	♋	2 44	19	9
0 29 23	8	18	1	3 22	19	10
0 33 4	9	19	1	4 1	20	10
0 36 45	10	20	2	4 39	21	11
0 40 26	11	21	3	5 18	22	12
0 44 8	12	22	4	5 56	22	13
0 47 50	13	23	5	6 34	23	14
0 51 32	14	24	6	7 13	24	14
0 55 14	15	25	6	7 51	24	15
0 58 57	16	26	7	8 30	25	16
1 2 40	17	27	8	9 8	26	17
1 6 23	18	28	9	9 47	26	18
1 10 7	19	29	10	10 25	27	19
1 13 51	20	♊	11	11 4	28	19
1 17 35	21	1	11	11 43	28	20
1 21 20	22	2	12	12 21	29	21
1 25 6	23	3	13	13 0	♍	22
1 28 52	24	4	14	13 39	1	23
1 32 38	25	5	15	14 17	1	24
1 36 25	26	6	15	14 56	2	25
1 40 12	27	7	16	15 35	3	25
1 44 0	28	8	17	16 14	3	26
1 47 48	29	9	18	16 53	4	27
1 51 37	30	10	18	17 32	5	28

Sidereal Time.	10 ♉	11 ♊	12 ♋	Ascen ♌	2 ♍	3 ♍
H. M. S.	°	°	°	° ′	°	°
1 51 37	0	10	18	17 32	5	28
1 55 27	1	11	19	18 11	6	29
1 59 17	2	12	20	18 51	6	♎
2 3 8	3	13	21	19 30	7	1
2 6 59	4	14	22	20 9	8	2
2 10 51	5	15	22	20 49	9	2
2 14 44	6	16	23	21 28	9	3
2 18 37	7	17	24	22 8	10	4
2 22 31	8	18	25	22 48	11	5
2 26 25	9	19	25	23 28	12	6
2 30 20	10	20	26	24 8	12	7
2 34 16	11	21	27	24 48	13	8
2 38 13	12	22	28	25 28	14	9
2 42 10	13	23	29	26 8	15	10
2 46 8	14	24	29	26 49	15	10
2 50 7	15	25	♌	27 29	16	11
2 54 7	16	26	1	28 10	17	12
2 58 7	17	27	2	28 51	18	13
3 2 8	18	28	2	29 32	19	14
3 6 9	19	29	3	0♍13	19	15
3 10 12	20	29	4	0 54	20	16
3 14 15	21	♋	5	1 36	21	17
3 18 19	22	1	5	2 17	22	18
3 22 23	23	2	6	2 59	23	19
3 26 29	24	3	7	3 41	23	20
3 30 35	25	4	8	4 23	24	21
3 34 41	26	5	9	5 5	25	22
3 38 49	27	6	10	5 47	26	22
3 42 57	28	7	10	6 29	27	23
3 47 6	29	8	11	7 12	27	24
3 51 15	30	9	12	7 55	28	25

Sidereal Time.	10 ♊	11 ♋	12 ♌	Ascen ♍	2 ♍	3 ♎
H. M. S.	°	°	°	° ′	°	°
3 51 15	0	9	12	7 55	28	25
3 55 25	1	10	13	8 37	29	26
3 59 36	2	11	13	9 20	♎	27
4 3 48	3	12	14	10 3	1	28
4 8 0	4	12	15	10 46	2	29
4 12 13	5	13	16	11 30	2	♏
4 16 26	6	14	17	12 13	3	1
4 20 40	7	15	18	12 56	4	2
4 24 55	8	16	18	13 40	5	3
4 29 10	9	17	19	14 24	6	4
4 33 26	10	18	20	15 8	7	5
4 37 42	11	19	21	15 52	7	6
4 41 59	12	20	21	16 36	8	6
4 46 16	13	21	22	17 20	9	7
4 50 34	14	22	23	18 4	10	8
4 54 52	15	23	24	18 48	11	9
4 59 10	16	24	25	19 32	12	10
5 3 29	17	24	26	20 17	12	11
5 7 49	18	25	26	21 1	13	12
5 12 9	19	26	27	21 46	14	13
5 16 29	20	27	28	22 31	15	14
5 20 49	21	28	29	23 16	16	15
5 25 9	22	29	♍	24 0	17	16
5 29 30	23	♌	1	24 45	18	17
5 33 51	24	1	1	25 30	18	18
5 38 12	25	2	2	26 15	19	19
5 42 34	26	3	3	27 0	20	20
5 46 55	27	4	4	27 45	21	21
5 51 17	28	5	5	28 30	22	21
5 55 38	29	6	6	29 15	23	22
6 0 0	30	7	7	30 0	23	23

Sidereal Time.	10 ♋	11 ♌	12 ♍	Ascen ♎	2 ♎	3 ♏
H. M. S.	°	°	°	° ′	°	°
6 0 0	0	7	7	0 0	23	23
6 4 22	1	8	7	0 45	24	24
6 8 43	2	9	8	1 30	25	25
6 13 5	3	9	9	2 15	26	26
6 17 26	4	10	10	3 0	27	27
6 21 48	5	11	11	3 45	28	28
6 26 9	6	12	12	4 30	29	29
6 30 30	7	13	12	5 15	29	♐
6 34 51	8	14	13	6 0	♏	1
6 39 11	9	15	14	6 44	1	2
6 43 31	10	16	15	7 29	2	3
6 47 51	11	17	16	8 14	3	4
6 52 11	12	18	17	8 59	4	5
6 56 31	13	19	18	9 43	4	6
7 0 50	14	20	18	10 27	5	6
7 5 8	15	21	19	11 11	6	7
7 9 26	16	22	20	11 56	7	8
7 13 44	17	23	21	12 40	8	9
7 18 1	18	24	22	13 24	8	10
7 22 18	19	24	23	14 8	9	11
7 26 34	20	25	23	14 52	10	12
7 30 50	21	26	24	15 36	11	13
7 35 5	22	27	25	16 20	12	14
7 39 20	23	28	26	17 4	13	15
7 43 34	24	29	27	17 47	13	16
7 47 47	25	♍	28	18 30	14	17
7 52 0	26	1	28	19 13	15	18
7 56 12	27	2	29	19 57	16	18
8 0 24	28	3	♎	20 40	17	19
8 4 35	29	4	1	21 23	17	20
8 8 45	30	5	2	22 5	18	21

Sidereal Time.	10 ♌	11 ♍	12 ♎	Ascen ♎	2 ♏	3 ♐
H. M. S.	°	°	°	° ′	°	°
8 8 45	0	5	2	22 5	18	21
8 12 54	1	6	2	22 48	19	22
8 17 3	2	7	3	23 30	20	23
8 21 11	3	8	4	24 13	20	24
8 25 19	4	8	5	24 55	21	25
8 29 26	5	9	6	25 37	22	26
8 33 31	6	10	7	26 19	23	27
8 37 37	7	11	7	27 1	24	28
8 41 41	8	12	8	27 43	25	29
8 45 45	9	13	9	28 24	25	♑
8 49 48	10	14	10	29 6	26	1
8 53 51	11	15	11	29 47	27	1
8 57 52	12	16	11	0♏28	28	2
9 1 53	13	17	12	1 9	28	3
9 5 53	14	18	13	1 50	29	4
9 9 53	15	19	14	2 31	♐	5
9 13 52	16	19	15	3 11	1	6
9 17 50	17	20	15	3 52	1	7
9 21 47	18	21	16	4 32	2	8
9 25 44	19	22	17	5 12	3	9
9 29 40	20	23	18	5 52	4	10
9 33 35	21	24	18	6 32	5	11
9 37 29	22	25	19	7 12	5	12
9 41 23	23	26	20	7 52	6	13
9 45 16	24	27	21	8 32	7	14
9 49 9	25	27	21	9 12	8	15
9 53 1	26	28	22	9 51	8	16
9 56 52	27	29	23	10 30	9	17
10 0 43	28	♎	24	11 9	10	17
10 4 33	29	1	24	11 49	11	18
10 8 23	30	2	25	12 28	11	19

Sidereal Time.	10 ♍	11 ♎	12 ♎	Ascen ♏	2 ♐	3 ♑
H. M. S.	°	°	°	° ′	°	°
10 8 23	0	2	25	12 28	11	19
10 12 12	1	3	26	13 6	12	20
10 16 0	2	4	27	13 45	13	21
10 19 48	3	4	27	14 25	14	22
10 23 35	4	5	28	15 4	15	23
10 27 22	5	6	29	15 42	15	24
10 31 8	6	7	29	16 21	16	25
10 34 54	7	8	♏	17 0	17	26
10 38 40	8	9	1	17 39	18	27
10 42 25	9	10	2	18 17	18	28
10 46 9	10	10	2	18 55	19	29
10 49 53	11	11	3	19 34	20	♒
10 53 37	12	12	4	20 13	21	1
10 57 20	13	13	4	20 52	22	2
11 1 3	14	14	5	21 30	22	3
11 4 46	15	15	6	22 8	23	5
11 8 28	16	16	7	22 46	24	6
11 12 10	17	16	7	23 25	25	7
11 15 52	18	17	8	24 4	26	8
11 19 34	19	18	9	24 42	26	9
11 23 15	20	19	9	25 21	27	10
11 26 56	21	20	10	25 59	28	11
11 30 37	22	20	11	26 38	29	12
11 34 18	23	21	12	27 16	♑	13
11 37 58	24	22	12	27 54	1	14
11 41 39	25	23	13	28 33	1	15
11 45 19	26	24	14	29 11	2	16
11 49 0	27	25	14	29 50	3	17
11 52 40	28	26	15	0♐30	4	18
11 56 20	29	26	16	1 9	5	20
12 0 0	30	27	16	1 48	6	21

TABLES OF HOUSES FOR LIVERPOOL, *Latitude* 53º 25' N.

Sidereal Time.	10 ♎	11 ♎	12 ♏	Ascen ♐	2 ♑	3 ♒
H. M. S.	°	°	°	° '	°	°
12 0 0	0	27	16	1 48	6	21
12 3 40	1	28	17	2 27	7	22
12 7 20	2	29	18	3 6	8	23
12 11 0	3	♏	18	3 46	9	24
12 14 41	4	0	19	4 25	10	25
12 18 21	5	1	20	5 6	10	26
12 22 2	6	2	21	5 46	11	28
12 25 42	7	3	21	6 26	12	29
12 29 23	8	4	22	7 6	13	♓
12 33 4	9	4	23	7 46	14	1
12 36 45	10	5	24	8 27	15	2
12 40 26	11	6	24	9 8	16	3
12 44 8	12	7	25	9 49	17	5
12 47 50	13	8	26	10 30	18	6
12 51 32	14	9	26	11 12	19	7
12 55 14	15	9	27	11 54	20	8
12 58 57	16	10	28	12 36	21	10
13 2 40	17	11	28	13 19	22	11
13 6 23	18	12	29	14 2	23	12
13 10 7	19	13	♐	14 45	25	13
13 13 51	20	13	1	15 28	26	15
13 17 35	21	14	1	16 12	27	16
13 21 20	22	15	2	16 56	28	17
13 25 6	23	16	3	17 41	29	18
13 28 52	24	17	4	18 26	♒	19
13 32 38	25	17	4	19 11	1	21
13 36 25	26	18	5	19 57	3	22
13 40 12	27	19	6	20 44	4	23
13 44 0	28	20	7	21 31	5	24
13 47 48	29	21	7	22 18	7	26
13 51 37	30	21	8	23 6	8	27

Sidereal Time.	10 ♏	11 ♏	12 ♐	Ascen ♐	2 ♒	3 ♓
H. M. S.	°	°	°	° '	°	°
13 51 37	0	21	8	23 6	8	27
13 55 27	1	22	9	23 55	9	28
13 59 17	2	23	10	24 43	10	♈
14 3 8	3	24	10	25 33	12	1
14 6 59	4	25	11	26 23	13	2
14 10 51	5	26	12	27 14	15	4
14 14 44	6	26	13	28 6	16	5
14 18 37	7	27	13	28 59	18	6
14 22 31	8	28	14	29 52	19	8
14 26 25	9	29	15	0♑46	20	9
14 30 20	10	♐	16	1 41	22	10
14 34 16	11	1	17	2 36	23	11
14 38 13	12	2	18	3 33	25	13
14 42 10	13	2	18	4 30	26	14
14 46 8	14	3	19	5 29	28	16
14 50 7	15	4	20	6 29	♓	17
14 54 7	16	5	21	7 30	1	18
14 58 7	17	6	22	8 32	3	20
15 2 8	18	7	23	9 35	5	21
15 6 9	19	8	24	10 39	6	22
15 10 12	20	8	24	11 45	8	23
15 14 15	21	9	25	12 52	10	25
15 18 19	22	10	26	14 1	11	26
15 22 23	23	11	27	15 11	13	27
15 26 29	24	12	28	16 23	15	29
15 30 35	25	13	29	17 37	17	♉
15 34 41	26	14	♑	18 53	19	1
15 38 49	27	15	1	20 10	21	3
15 42 57	28	16	2	21 29	22	4
15 47 6	29	16	3	22 51	24	5
15 51 15	30	17	4	24 15	26	7

Sidereal Time.	10 ♐	11 ♐	12 ♑	Ascen ♑	2 ♓	3 ♉
H. M. S.	°	°	°	° '	°	°
15 51 15	0	17	4	24 15	26	7
15 55 25	1	18	5	25 41	28	8
15 59 36	2	19	6	27 10	♈	9
16 3 48	3	20	7	28 41	2	10
16 8 0	4	21	8	0♒14	4	12
16 12 13	5	22	9	1 50	5	13
16 16 26	6	23	10	3 30	7	14
16 20 40	7	24	11	5 13	9	15
16 24 55	8	25	12	6 58	11	17
16 29 10	9	26	13	8 46	13	18
16 33 26	10	27	14	10 38	15	19
16 37 42	11	28	15	12 32	17	20
16 41 59	12	29	16	14 31	19	22
16 46 16	13	♑	18	16 33	20	23
16 50 34	14	1	19	18 40	22	24
16 54 52	15	2	20	20 50	24	25
16 59 10	16	3	21	23 4	26	26
17 3 29	17	4	22	25 21	28	28
17 7 49	18	5	24	27 42	29	29
17 12 9	19	6	25	0♓ 8	♉	♊
17 16 29	20	7	26	2 37	3	1
17 20 49	21	8	28	5 10	5	3
17 25 9	22	9	29	7 46	6	4
17 29 30	23	10	♒	10 24	8	5
17 33 51	24	11	2	13 7	10	6
17 38 12	25	12	3	15 52	11	7
17 42 34	26	13	4	18 38	13	8
17 46 55	27	14	6	21 27	15	9
17 51 17	28	15	7	24 17	16	10
17 55 38	29	16	9	27 8	18	12
18 0 0	30	17	11	30 0	19	13

Sidereal Time.	10 ♑	11 ♑	12 ♒	Ascen ♈	2 ♉	3 ♊
H. M. S.	°	°	°	° '	°	°
18 0 0	0	17	11	0 0	19	13
18 4 22	1	18	12	2 52	21	14
18 8 43	2	20	14	5 43	23	15
18 13 5	3	21	15	8 33	24	16
18 17 26	4	22	17	11 22	25	17
18 21 48	5	23	19	14 8	27	18
18 26 9	6	24	20	16 53	28	19
18 30 30	7	25	22	19 36	♊	20
18 34 51	8	26	24	22 14	1	21
18 39 11	9	27	25	24 50	2	22
18 43 31	10	29	27	27 23	4	23
18 47 51	11	♒	28	29 52	5	24
18 52 11	12	1	♓	2♉18	6	25
18 56 31	13	2	2	4 39	8	26
19 0 50	14	4	4	6 56	9	27
19 5 8	15	5	6	9 10	10	28
19 9 26	16	6	8	11 20	11	29
19 13 44	17	7	10	13 27	12	♋
19 18 1	18	8	11	15 29	14	1
19 22 18	19	9	13	17 28	15	2
19 26 34	20	11	15	19 22	16	3
19 30 50	21	12	17	21 14	17	4
19 35 5	22	13	19	23 2	18	5
19 39 20	23	15	21	24 47	19	6
19 43 34	24	16	23	26 30	20	7
19 47 47	25	17	25	28 10	21	8
19 52 0	26	18	26	29 46	22	9
19 56 12	27	20	28	1♊19	23	10
20 0 24	28	21	♈	2 50	24	11
20 4 35	29	22	2	4 19	25	12
20 8 45	30	23	4	5 45	26	13

Sidereal Time.	10 ♒	11 ♒	12 ♈	Ascen ♊	2 ♊	3 ♋
H. M. S.	°	°	°	° '	°	°
20 8 45	0	23	4	5 45	26	13
20 12 54	1	25	6	7 9	27	14
20 17 3	2	26	8	8 31	28	14
20 21 11	3	27	9	9 50	29	15
20 25 19	4	29	11	11 7	♋	16
20 29 26	5	♓	13	12 23	1	17
20 33 31	6	1	15	13 37	2	18
20 37 37	7	3	17	14 49	3	19
20 41 41	8	4	19	15 59	4	20
20 45 45	9	5	20	17 8	5	21
20 49 48	10	7	22	18 15	6	22
20 53 51	11	8	24	19 21	7	22
20 57 52	12	10	25	20 25	7	23
21 1 53	13	11	27	21 28	8	24
21 5 53	14	12	29	22 30	9	25
21 9 53	15	13	♉	23 31	10	26
21 13 52	16	14	2	24 31	11	27
21 17 50	17	16	4	25 30	12	28
21 21 47	18	17	5	26 27	12	28
21 25 44	19	18	7	27 24	13	29
21 29 40	20	20	8	28 19	14	♌
21 33 35	21	21	10	29 14	15	1
21 37 29	22	22	11	0♋ 8	16	2
21 41 23	23	24	12	1 1	17	3
21 45 16	24	25	14	1 54	17	4
21 49 9	25	26	15	2 46	18	4
21 53 1	26	28	17	3 37	19	5
21 56 52	27	29	18	4 27	20	6
22 0 43	28	♈	20	5 17	20	7
22 4 33	29	2	21	6 5	21	8
22 8 23	30	3	22	6 54	22	8

Sidereal Time.	10 ♓	11 ♈	12 ♉	Ascen ♋	2 ♋	3 ♌
H. M. S.	°	°	°	° '	°	°
22 8 23	0	3	22	6 54	22	8
22 12 12	1	4	23	7 42	23	9
22 16 0	2	5	25	8 29	23	10
22 19 48	3	7	26	9 16	24	11
22 23 35	4	8	27	10 3	25	12
22 27 22	5	9	29	10 49	26	13
22 31 8	6	11	♊	11 34	26	13
22 34 54	7	12	1	12 19	27	14
22 38 40	8	13	2	13 3	28	15
22 42 25	9	14	3	13 48	29	16
22 46 9	10	16	4	14 32	29	17
22 49 53	11	17	5	15 15	♌	17
22 53 37	12	18	7	15 58	1	18
22 57 20	13	19	8	16 41	2	19
23 1 3	14	20	9	17 24	2	20
23 4 46	15	22	10	18 6	3	21
23 8 28	16	23	11	18 48	4	21
23 12 10	17	24	12	19 30	4	22
23 15 52	18	25	13	20 11	5	23
23 19 34	19	27	14	20 52	6	24
23 23 15	20	28	15	21 33	6	25
23 26 56	21	29	16	22 14	7	26
23 30 37	22	♉	17	22 54	8	26
23 34 18	23	1	18	23 34	9	27
23 37 58	24	2	19	24 14	9	28
23 41 39	25	4	20	24 54	10	29
23 45 19	26	5	21	25 35	11	♍
23 49 0	27	6	22	26 14	11	0
23 52 40	28	7	22	26 54	12	1
23 56 20	29	8	23	27 33	13	2
24 0 0	30	9	24	28 12	14	3

TABLES OF HOUSES FOR NEW YORK, Latitude 40º 43' N.

Sidereal Time.	10 ♈	11 ♉	12 ♊	Ascen ♋	2 ♌	3 ♍
H. M. S.	º	º	º	º '	º	º
0 0 0	0	6	15	18 53	8	1
0 3 40	1	7	16	19 38	9	2
0 7 20	2	8	17	20 23	10	3
0 11 0	3	9	18	21 12	11	4
0 14 41	4	11	19	21 55	12	5
0 18 21	5	12	20	22 40	12	5
0 22 2	6	13	21	23 24	13	6
0 25 42	7	14	22	24 8	14	7
0 29 23	8	15	23	24 54	15	8
0 33 4	9	16	23	25 37	15	9
0 36 45	10	17	24	26 22	16	10
0 40 26	11	18	25	27 5	17	11
0 44 8	12	19	26	27 50	18	12
0 47 50	13	20	27	28 33	19	13
0 51 32	14	21	28	29 18	19	13
0 55 14	15	22	28	0♌ 3	20	14
0 58 57	16	23	29	0 46	21	15
1 2 40	17	24	♋	1 31	22	16
1 6 23	18	25	1	2 14	22	17
1 10 7	19	26	2	2 58	23	18
1 13 51	20	27	3	3 43	24	19
1 17 35	21	28	3	4 27	25	20
1 21 20	22	29	4	5 12	25	21
1 25 6	23	♊	5	5 56	26	22
1 28 52	24	1	6	6 40	27	22
1 32 38	25	2	7	7 25	28	23
1 36 25	26	2	8	8 9	29	24
1 40 12	27	3	9	8 53	♍	25
1 44 0	28	4	10	9 38	1	26
1 47 48	29	5	10	10 24	1	27
1 51 37	30	6	11	11 8	2	28

Sidereal Time.	10 ♉	11 ♊	12 ♋	Ascen ♌	2 ♍	3 ♍
H. M. S.	º	º	º	º '	º	º
1 51 37	0	6	11	11 8	2	28
1 55 27	1	7	12	11 53	3	29
1 59 17	2	8	13	12 38	4	♎
2 3 8	3	9	14	13 22	5	1
2 6 59	4	10	15	14 8	5	2
2 10 51	5	11	15	14 53	6	3
2 14 44	6	12	16	15 39	7	4
2 18 37	7	13	17	16 24	8	4
2 22 31	8	14	18	17 10	9	5
2 26 25	9	15	19	17 56	10	6
2 30 20	10	16	20	18 41	10	7
2 34 16	11	17	20	19 27	11	8
2 38 13	12	18	21	20 14	12	9
2 42 10	13	19	22	21 0	13	10
2 46 8	14	19	23	21 47	14	11
2 50 7	15	20	24	22 33	15	12
2 54 7	16	21	25	23 20	16	13
2 58 7	17	22	25	24 7	17	14
3 2 8	18	23	26	24 54	17	15
3 6 9	19	24	27	25 42	18	16
3 10 12	20	25	28	26 29	19	17
3 14 15	21	26	29	27 17	20	18
3 18 19	22	27	♌	28 4	21	19
3 22 23	23	28	1	28 52	22	20
3 26 29	24	29	1	29 40	23	21
3 30 35	25	♋	2	0♍29	24	22
3 34 41	26	1	3	1 17	24	23
3 38 49	27	2	4	2 6	25	24
3 42 57	28	3	5	2 55	26	25
3 47 6	29	4	6	3 43	27	26
3 51 15	30	5	7	4 32	28	27

Sidereal Time.	10 ♊	11 ♋	12 ♌	Ascen ♍	2 ♍	3 ♎
H. M. S.	º	º	º	º '	º	º
3 51 15	0	5	7	4 32	28	27
3 55 25	1	6	8	5 22	29	28
3 59 36	2	6	8	6 10	♎	29
4 3 48	3	7	9	7 0	1	♏
4 8 0	4	8	10	7 49	2	1
4 12 13	5	9	11	8 40	3	2
4 16 26	6	10	12	9 30	4	3
4 20 40	7	11	13	10 19	4	4
4 24 55	8	12	14	11 10	5	5
4 29 10	9	13	15	12 0	6	6
4 33 26	10	14	16	12 51	7	7
4 37 42	11	15	16	13 41	8	8
4 41 59	12	16	17	14 32	9	9
4 46 16	13	17	18	15 23	10	10
4 50 34	14	18	19	16 14	11	11
4 54 52	15	19	20	17 5	12	12
4 59 10	16	20	21	17 56	13	13
5 3 29	17	21	22	18 47	14	14
5 7 49	18	22	23	19 39	15	15
5 12 9	19	23	24	20 30	16	16
5 16 29	20	24	25	21 22	17	17
5 20 49	21	25	25	22 13	18	18
5 25 9	22	26	26	23 5	18	19
5 29 30	23	27	27	23 57	19	20
5 33 51	24	28	28	24 49	20	21
5 38 12	25	29	29	25 40	21	22
5 42 34	26	♌	♍	26 32	22	22
5 46 55	27	1	1	27 25	23	23
5 51 17	28	2	2	28 16	24	24
5 55 38	29	3	3	29 8	25	25
6 0 0	30	4	4	30 0	26	26

Sidereal Time.	10 ♋	11 ♌	12 ♍	Ascen ♎	2 ♎	3 ♏
H. M. S.	º	º	º	º '	º	º
6 0 0	0	4	4	0 0	26	26
6 4 22	1	5	5	0 52	27	27
6 8 43	2	6	6	1 44	28	28
6 13 5	3	6	7	2 35	29	29
6 17 26	4	7	8	3 28	♏	♐
6 21 48	5	8	9	4 20	1	1
6 26 9	6	9	10	5 11	2	2
6 30 30	7	10	11	6 3	3	3
6 34 51	8	11	12	6 55	3	4
6 39 11	9	12	13	7 47	4	5
6 43 31	10	13	14	8 38	5	6
6 47 51	11	14	15	9 30	6	7
6 52 11	12	15	15	10 21	7	8
6 56 31	13	16	16	11 13	8	9
7 0 50	14	17	17	12 4	9	10
7 5 8	15	18	18	12 55	10	11
7 9 26	16	19	19	13 46	11	12
7 13 44	17	20	20	14 37	12	13
7 18 1	18	21	21	15 28	13	14
7 22 18	19	22	22	16 19	14	15
7 26 34	20	23	23	17 9	14	16
7 30 50	21	24	23	18 0	15	17
7 35 5	22	25	24	18 50	16	18
7 39 20	23	26	25	19 41	17	19
7 43 34	24	27	26	20 30	18	20
7 47 47	25	28	27	21 20	19	21
7 52 0	26	29	28	22 11	20	22
7 56 12	27	♍	29	23 0	21	23
8 0 24	28	1	♎	23 50	21	24
8 4 35	29	2	1	24 38	22	24
8 8 45	30	3	2	25 28	23	25

Sidereal Time.	10 ♌	11 ♍	12 ♎	Ascen ♎	2 ♏	3 ♐
H. M. S.	º	º	º	º '	º	º
8 8 45	0	3	2	25 28	23	25
8 12 54	1	4	3	26 17	24	26
8 17 3	2	5	4	27 5	25	27
8 21 11	3	6	5	27 54	26	28
8 25 19	4	7	6	28 43	27	29
8 29 26	5	8	7	29 31	28	♑
8 33 31	6	9	7	0♏20	28	1
8 37 37	7	10	8	1 8	29	2
8 41 41	8	11	9	1 56	♐	3
8 45 45	9	12	10	2 43	1	4
8 49 48	10	13	11	3 31	2	5
8 53 51	11	14	12	4 18	3	6
8 57 52	12	15	12	5 6	4	7
9 1 53	13	16	13	5 53	5	8
9 5 53	14	17	14	6 40	5	9
9 9 53	15	18	15	7 27	6	10
9 13 52	16	19	16	8 13	7	10
9 17 50	17	20	17	9 0	8	11
9 21 47	18	21	18	9 46	9	12
9 25 44	19	22	19	10 33	10	13
9 29 40	20	23	19	11 19	10	14
9 33 35	21	24	20	12 4	11	15
9 37 29	22	24	21	12 50	12	16
9 41 23	23	25	22	13 36	13	17
9 45 16	24	26	23	14 21	14	18
9 49 9	25	27	24	15 7	15	19
9 53 1	26	28	24	15 52	15	20
9 56 52	27	29	25	16 38	16	21
10 0 43	28	♎	26	17 22	17	22
10 4 33	29	1	27	18 7	18	23
10 8 23	30	2	28	18 52	19	24

Sidereal Time.	10 ♍	11 ♎	12 ♎	Ascen ♏	2 ♐	3 ♑
H. M. S.	º	º	º	º '	º	º
10 8 23	0	2	28	18 52	19	24
10 12 12	1	3	29	19 36	20	25
10 16 0	2	4	29	20 22	20	26
10 19 48	3	5	♏	21 7	21	27
10 23 35	4	6	1	21 51	22	28
10 27 22	5	7	1	22 35	23	28
10 31 8	6	7	2	23 20	24	29
10 34 54	7	8	3	24 4	25	♒
10 38 40	8	9	4	24 48	25	1
10 42 25	9	10	5	25 33	26	2
10 46 9	10	11	6	26 17	27	3
10 49 53	11	12	7	27 2	28	4
10 53 37	12	13	7	27 46	29	5
10 57 20	13	14	8	28 29	♑	6
11 1 3	14	15	9	29 14	1	7
11 4 46	15	16	10	29 57	1	8
11 8 28	16	17	11	0♐42	2	9
11 12 10	17	17	11	1 27	3	10
11 15 52	18	18	12	2 10	4	11
11 19 34	19	19	13	2 55	5	12
11 23 15	20	20	14	3 38	6	13
11 26 56	21	21	14	4 23	7	14
11 30 37	22	22	15	5 6	7	15
11 34 18	23	23	16	5 52	8	16
11 37 58	24	23	17	6 36	9	17
11 41 39	25	24	18	7 20	10	18
11 45 19	26	25	18	8 5	11	19
11 49 0	27	26	19	8 48	12	20
11 52 40	28	27	20	9 37	13	22
11 56 20	29	28	21	10 22	14	23
12 0 0	30	29	21	11 7	15	24

TABLES OF HOUSES FOR NEW YORK, *Latitude* 40° 43' N.

Sidereal Time.	10 ♎	11 ♎	12 ♏	Ascen ♐	2 ♑	3 ♒
H. M. S.	°	°	°	° '	°	°
12 0 0	0	29	21	11 7	15	24
12 3 40	1	♏	22	11 52	16	25
12 7 20	2	1	23	12 37	17	26
12 11 0	3	1	24	13 19	17	27
12 14 41	4	2	25	14 7	18	28
12 18 21	5	3	25	14 52	19	29
12 22 2	6	4	26	15 38	20	♓
12 25 42	7	5	27	16 23	21	1
12 29 23	8	6	28	17 11	22	2
12 33 4	9	6	28	17 58	23	3
12 36 45	10	7	29	18 45	24	4
12 40 26	11	8	♐	19 32	25	5
12 44 8	12	9	1	20 20	26	7
12 47 50	13	10	2	21 8	27	8
12 51 32	14	11	2	21 57	28	9
12 55 14	15	12	3	22 43	29	10
12 58 57	16	13	4	23 33	♒	11
13 2 40	17	13	5	24 22	1	12
13 6 23	18	14	6	25 11	2	13
13 10 7	19	15	7	26 1	3	15
13 13 51	20	16	7	26 51	5	16
13 17 35	21	17	8	27 40	6	17
13 21 20	22	18	9	28 32	7	18
13 25 6	23	19	10	29 23	8	19
13 28 52	24	19	10	0♑14	9	20
13 32 38	25	20	11	1 7	10	21
13 36 25	26	21	12	2 0	11	23
13 40 12	27	22	13	2 52	12	24
13 44 0	28	23	13	3 46	13	25
13 47 48	29	24	14	4 41	15	26
13 51 37	30	25	15	5 35	16	27

Sidereal Time.	10 ♏	11 ♏	12 ♐	Ascen ♑	2 ♒	3 ♓
H. M. S.	°	°	°	° '	°	°
13 51 37	0	25	15	5 35	16	27
13 55 27	1	25	16	6 30	17	29
13 59 17	2	26	17	7 27	18	♈
14 3 8	3	27	18	8 23	20	1
14 6 59	4	28	18	9 20	21	2
14 10 51	5	29	19	10 18	22	3
14 14 44	6	♐	20	11 16	23	5
14 18 37	7	1	21	12 15	24	6
14 22 31	8	2	22	13 15	26	7
14 26 25	9	2	23	14 16	27	8
14 30 20	10	3	24	15 17	28	9
14 34 16	11	4	24	16 19	♓	11
14 38 13	12	5	25	17 23	1	12
14 42 10	13	6	26	18 27	2	13
14 46 8	14	7	27	19 32	4	14
14 50 7	15	8	28	20 37	5	16
14 54 7	16	9	29	21 44	6	17
14 58 7	17	10	♑	22 51	8	18
15 2 8	18	10	1	23 59	9	19
15 6 9	19	11	2	25 9	11	20
15 10 12	20	12	3	26 19	12	22
15 14 15	21	13	4	27 31	14	23
15 18 19	22	14	5	28 43	15	24
15 22 23	23	15	6	29 57	16	25
15 26 29	24	16	6	1♒14	18	26
15 30 35	25	17	7	2 28	19	28
15 34 41	26	18	8	3 46	21	29
15 38 49	27	19	9	5 5	22	♉
15 42 57	28	20	10	6 25	24	1
15 47 6	29	21	11	7 46	25	3
15 51 15	30	21	13	9 8	27	4

Sidereal Time.	10 ♐	11 ♐	12 ♑	Ascen ♒	2 ♓	3 ♉
H. M. S.	°	°	°	° '	°	°
15 51 15	0	21	13	9 8	27	4
15 55 25	1	22	14	10 31	28	5
15 59 36	2	23	15	11 56	♈	6
16 3 48	3	24	16	13 23	1	7
16 8 0	4	25	17	14 50	3	9
16 12 13	5	26	18	16 9	4	10
16 16 26	6	27	19	17 50	6	11
16 20 40	7	28	20	19 22	7	12
16 24 55	8	29	21	20 56	9	13
16 29 10	9	♑	22	22 30	11	15
16 33 26	10	1	23	24 7	12	16
16 37 42	11	2	24	25 44	14	17
16 41 59	12	3	26	27 23	15	18
16 46 16	13	4	27	29 4	17	19
16 50 34	14	5	28	0♓45	18	20
16 54 52	15	6	29	2 27	20	22
16 59 10	16	7	♒	4 11	21	23
17 3 29	17	8	2	5 56	23	24
17 7 49	18	9	3	7 43	24	25
17 12 9	19	10	4	9 30	26	26
17 16 29	20	11	5	11 18	27	27
17 20 49	21	12	7	13 8	29	28
17 25 9	22	13	8	14 57	♉	♊
17 29 30	23	14	9	16 48	2	1
17 33 51	24	15	10	18 41	3	2
17 38 12	25	16	12	20 33	5	3
17 42 34	26	17	13	22 25	6	4
17 46 55	27	19	14	24 19	7	5
17 51 17	28	20	16	26 12	9	6
17 55 38	29	21	17	28 7	10	7
18 0 0	30	22	18	30 0	12	9

Sidereal Time.	10 ♑	11 ♑	12 ♒	Ascen ♈	2 ♉	3 ♊
H. M. S.	°	°	°	° '	°	°
18 0 0	0	22	18	0 0	12	9
18 4 22	1	23	20	1 53	13	10
18 8 43	2	24	21	3 48	14	11
18 13 5	3	25	23	5 41	16	12
18 17 26	4	26	24	7 35	17	13
18 21 48	5	27	25	9 27	18	14
18 26 9	6	28	27	11 19	20	15
18 30 30	7	29	28	13 12	21	16
18 34 51	8	♒	♓	15 3	22	17
18 39 11	9	2	1	16 52	23	18
18 43 31	10	3	3	18 42	25	19
18 47 51	11	4	4	20 30	26	20
18 52 11	12	5	5	22 17	27	21
18 56 31	13	6	7	24 4	29	22
19 0 50	14	7	9	25 49	♊	23
19 5 8	15	9	10	27 33	1	24
19 9 26	16	10	12	29 15	2	25
19 13 44	17	11	13	0♉56	3	26
19 18 1	18	12	15	2 37	4	27
19 22 18	19	13	16	4 16	6	28
19 26 34	20	14	18	5 53	7	29
19 30 50	21	16	19	7 30	8	♋
19 35 5	22	17	21	9 4	9	1
19 39 20	23	18	22	10 38	10	2
19 43 34	24	19	24	12 10	11	3
19 47 47	25	20	25	13 41	12	4
19 52 0	26	21	27	15 10	13	5
19 56 12	27	23	29	16 37	14	6
20 0 24	28	24	♈	18 4	15	7
20 4 35	29	25	2	19 29	16	8
20 8 45	30	26	3	20 52	17	9

Sidereal Time.	10 ♒	11 ♒	12 ♈	Ascen ♉	2 ♊	3 ♋
H. M. S.	°	°	°	° '	°	°
20 8 45	0	26	3	20 52	17	9
20 12 54	1	27	5	22 14	18	9
20 17 3	2	29	6	23 35	19	10
20 21 11	3	♓	8	24 55	20	11
20 25 19	4	1	9	26 14	21	12
20 29 26	5	2	11	27 32	22	13
20 33 31	6	3	12	28 46	23	14
20 37 37	7	5	14	0♊ 3	24	15
20 41 41	8	6	15	1 17	25	16
20 45 45	9	7	16	2 29	26	17
20 49 48	10	8	18	3 41	27	18
20 53 51	11	10	19	4 51	28	19
20 57 52	12	11	21	6 1	29	20
21 1 53	13	12	22	7 9	♋	20
21 5 53	14	13	24	8 16	1	21
21 9 53	15	14	25	9 23	2	22
21 13 52	16	16	26	10 30	3	23
21 17 50	17	17	28	11 33	4	24
21 21 47	18	18	29	12 37	5	25
21 25 44	19	19	♉	13 41	6	26
21 29 40	20	21	2	14 43	6	27
21 33 35	21	22	3	15 44	7	28
21 37 29	22	23	4	16 45	8	28
21 41 23	23	24	6	17 45	9	29
21 45 16	24	25	7	18 44	10	♌
21 49 9	25	27	8	19 42	11	1
21 53 1	26	28	9	20 40	12	2
21 56 52	27	29	11	21 37	12	3
22 0 43	28	♈	12	22 33	13	4
22 4 33	29	1	13	23 30	14	5
22 8 23	30	3	14	24 25	15	5

Sidereal Time.	10 ♓	11 ♈	12 ♉	Ascen ♊	2 ♋	3 ♌
H. M. S.	°	°	°	° '	°	°
22 8 23	0	3	14	24 25	15	5
22 12 12	1	4	15	25 19	16	6
22 16 0	2	5	17	26 14	17	7
22 19 48	3	6	18	27 8	17	8
22 23 35	4	7	19	28 0	18	9
22 27 22	5	8	20	28 53	19	10
22 31 8	6	10	21	29 46	20	11
22 34 54	7	11	22	0♋37	21	11
22 38 40	8	12	23	1 28	21	12
22 42 25	9	13	24	2 20	22	13
22 46 9	10	14	25	3 9	23	14
22 49 53	11	15	27	3 59	24	15
22 53 37	12	17	28	4 49	24	16
22 57 20	13	18	29	5 38	25	17
23 1 3	14	19	♊	6 27	26	17
23 4 46	15	20	1	7 17	27	18
23 8 28	16	21	2	8 3	28	19
23 12 10	17	22	3	8 52	28	20
23 15 52	18	23	4	9 40	29	21
23 19 34	19	24	5	10 28	♌	22
23 23 15	20	26	6	11 15	1	23
23 26 56	21	27	7	12 2	2	23
23 30 37	22	28	8	12 49	2	24
23 34 18	23	29	9	13 37	3	25
23 37 58	24	♉	10	14 22	4	26
23 41 39	25	1	11	15 8	5	27
23 45 19	26	2	12	15 53	5	28
23 49 0	27	3	12	16 41	6	29
23 52 40	28	4	13	17 23	7	29
23 56 20	29	5	14	18 8	8	♍
24 0 0	30	6	15	18 53	9	1

PROPORTIONAL LOGARITHMS FOR FINDING THE PLANETS' PLACES

Min	0	1	2	3	4	5	6	7	8	9	10	11	12	13	14	15	Min
	DEGREES OR HOURS																
0	3.1584	1.3802	1.0792	9031	7781	6812	6021	5351	4771	4260	3802	3388	3010	2663	2341	2041	**0**
1	3.1584	1.3730	1.0756	9007	7763	6798	6009	5341	4762	4252	3795	3382	3004	2657	2336	2036	**1**
2	2.8573	1.3660	1.0720	8983	7745	6784	5997	5330	4753	4244	3788	3375	2998	2652	2330	2032	**2**
3	2.6812	1.3590	1.0685	8959	7728	6769	5985	5320	4744	4236	3780	3368	2992	2646	2325	2027	**3**
4	2.5563	1.3522	1.0649	8935	7710	6755	5973	5310	4735	4228	3773	3362	2986	2640	2320	2022	**4**
5	2.4594	1.3454	1.0614	8912	7692	6741	5961	5300	4726	4220	3766	3355	2980	2635	2315	2017	**5**
6	2.3802	1.3388	1.0580	8888	7674	6726	5949	5289	4717	4212	3759	3349	2974	2629	2310	2012	**6**
7	2.3133	1.3323	1.0546	8865	7657	6712	5937	5279	4708	4204	3752	3342	2968	2624	2305	2008	**7**
8	2.2553	1.3258	1.0511	8842	7639	6698	5925	5269	4699	4196	3745	3336	2962	2618	2300	2003	**8**
9	2.2041	1.3195	1.0478	8819	7622	6684	5913	5259	4690	4188	3737	3329	2956	2613	2295	1998	**9**
10	2.1584	1.3133	1.0444	8796	7604	6670	5902	5249	4682	4180	3730	3323	2950	2607	2289	1993	**10**
11	2.1170	1.3071	1.0411	8773	7587	6656	5890	5239	4673	4172	3723	3316	2944	2602	2284	1988	**11**
12	2.0792	1.3010	1.0378	8751	7570	6642	5878	5229	4664	4164	3716	3310	2938	2596	2279	1984	**12**
13	2.0444	1.2950	1.0345	8728	7552	6628	5866	5219	4655	4156	3709	3303	2933	2591	2274	1979	**13**
14	2.0122	1.2891	1.0313	8706	7535	6614	5855	5209	4646	4148	3702	3297	2927	2585	2269	1974	**14**
15	1.9823	1.2833	1.0280	8683	7518	6600	5843	5199	4638	4141	3695	3291	2921	2580	2264	1969	**15**
16	1.9542	1.2775	1.0248	8661	7501	6587	5832	5189	4629	4133	3688	3284	2915	2574	2259	1965	**16**
17	1.9279	1.2719	1.0216	8639	7484	6573	5820	5179	4620	4125	3681	3278	2909	2569	2254	1960	**17**
18	1.9031	1.2663	1.0185	8617	7467	6559	5809	5169	4611	4117	3674	3271	2903	2564	2249	1955	**18**
19	1.8796	1.2607	1.0153	8595	7451	6546	5797	5159	4603	4109	3667	3265	2897	2558	2244	1950	**19**
20	1.8573	1.2553	1.0122	8573	7434	6532	5786	5149	4594	4102	3660	3258	2891	2553	2239	1946	**20**
21	1.8361	1.2499	1.0091	8552	7417	6519	5774	5139	4585	4094	3653	3252	2885	2547	2234	1941	**21**
22	1.8159	1.2445	1.0061	8530	7401	6505	5763	5129	4577	4086	3646	3246	2880	2542	2229	1936	**22**
23	1.7966	1.2393	1.0030	8509	7384	6492	5752	5120	4568	4079	3639	3239	2874	2536	2223	1932	**23**
24	1.7781	1.2341	1.0000	8487	7368	6478	5740	5110	4559	4071	3632	3233	2868	2531	2218	1927	**24**
25	1.7604	1.2289	0.9970	8466	7351	6465	5729	5100	4551	4063	3625	3227	2862	2526	2213	1922	**25**
26	1.7434	1.2239	0.9940	8445	7335	6451	5718	5090	4542	4055	3618	3220	2856	2520	2208	1917	**26**
27	1.7270	1.2188	0.9910	8424	7318	6438	5706	5081	4534	4048	3611	3214	2850	2515	2203	1913	**27**
28	1.7112	1.2139	0.9881	8403	7302	6425	5695	5071	4525	4040	3604	3208	2845	2509	2198	1908	**28**
29	1.6960	1.2090	0.9852	8382	7286	6412	5684	5061	4516	4032	3597	3201	2839	2504	2193	1903	**29**
30	1.6812	1.2041	0.9823	8361	7270	6398	5673	5051	4508	4025	3590	3195	2833	2499	2188	1899	**30**
31	1.6670	1.1993	0.9794	8341	7254	6385	5662	5042	4499	4017	3583	3189	2827	2493	2183	1894	**31**
32	1.6532	1.1946	0.9765	8320	7238	6372	5651	5032	4491	4010	3576	3183	2821	2488	2178	1889	**32**
33	1.6398	1.1899	0.9737	8300	7222	6359	5640	5023	4482	4002	3570	3176	2816	2483	2173	1885	**33**
34	1.6269	1.1852	0.9708	8279	7206	6346	5629	5013	4474	3994	3563	3170	2810	2477	2168	1880	**34**
35	1.6143	1.1806	0.9680	8259	7190	6333	5618	5003	4466	3987	3556	3164	2804	2472	2164	1875	**35**
36	1.6021	1.1761	0.9652	8239	7174	6320	5607	4994	4457	3979	3549	3157	2798	2467	2159	1871	**36**
37	1.5902	1.1716	0.9625	8219	7159	6307	5596	4984	4449	3972	3542	3151	2793	2461	2154	1866	**37**
38	1.5786	1.1671	0.9597	8199	7143	6294	5585	4975	4440	3964	3535	3145	2787	2456	2149	1862	**38**
39	1.5673	1.1627	0.9570	8179	7128	6282	5574	4965	4432	3957	3529	3139	2781	2451	2144	1857	**39**
40	1.5563	1.1584	0.9542	8159	7112	6269	5563	4956	4424	3949	3522	3133	2775	2445	2139	1852	**40**
41	1.5456	1.1540	0.9515	8140	7097	6256	5552	4947	4415	3942	3515	3126	2770	2440	2134	1848	**41**
42	1.5351	1.1498	0.9488	8120	7081	6243	5541	4937	4407	3934	3508	3120	2764	2435	2129	1843	**42**
43	1.5249	1.1455	0.9462	8101	7066	6231	5531	4928	4399	3927	3501	3114	2758	2430	2124	1838	**43**
44	1.5149	1.1413	0.9435	8081	7050	6218	5520	4918	4390	3919	3495	3108	2753	2424	2119	1834	**44**
45	1.5051	1.1372	0.9409	8062	7035	6205	5509	4909	4382	3912	3488	3102	2747	2419	2114	1829	**45**
46	1.4956	1.1331	0.9383	8043	7020	6193	5498	4900	4374	3905	3481	3096	2741	2414	2109	1825	**46**
47	1.4863	1.1290	0.9356	8023	7005	6180	5488	4890	4365	3897	3475	3089	2736	2409	2104	1820	**47**
48	1.4771	1.1249	0.9330	8004	6990	6168	5477	4881	4357	3890	3468	3083	2730	2403	2099	1816	**48**
49	1.4682	1.1209	0.9305	7985	6975	6155	5466	4872	4349	3882	3461	3077	2724	2398	2095	1811	**49**
50	1.4594	1.1170	0.9279	7966	6960	6143	5456	4863	4341	3875	3454	3071	2719	2393	2090	1806	**50**
51	1.4508	1.1130	0.9254	7947	6945	6131	5445	4853	4333	3868	3448	3065	2713	2388	2085	1802	**51**
52	1.4424	1.1091	0.9228	7929	6930	6118	5435	4844	4324	3860	3441	3059	2707	2382	2080	1797	**52**
53	1.4341	1.1053	0.9203	7910	6915	6106	5424	4835	4316	3853	3434	3053	2702	2377	2075	1793	**53**
54	1.4260	1.1015	0.9178	7891	6900	6094	5414	4826	4308	3846	3428	3047	2696	2372	2070	1788	**54**
55	1.4180	1.0977	0.9153	7873	6885	6081	5403	4817	4300	3838	3421	3041	2691	2367	2065	1784	**55**
56	1.4102	1.0939	0.9128	7854	6871	6069	5393	4808	4292	3831	3415	3034	2685	2362	2061	1779	**56**
57	1.4025	1.0902	0.9104	7836	6856	6057	5382	4798	4284	3824	3408	3028	2679	2356	2056	1774	**57**
58	1.3949	1.0865	0.9079	7818	6841	6045	5372	4789	4276	3817	3401	3022	2674	2351	2051	1770	**58**
59	1.3875	1.0828	0.9055	7800	6827	6033	5361	4780	4268	3809	3395	3016	2668	2346	2046	1765	**59**
	0	**1**	**2**	**3**	**4**	**5**	**6**	**7**	**8**	**9**	**10**	**11**	**12**	**13**	**14**	**15**	

RULE: – Add proportional log. of planet's daily motion to log. of time from noon, and the sum will be the log. of the motion required. Add this to planet's place at noon, if time be p.m., but subtract if a.m., and the sum will be planet's true place. If Retrograde, subtract for p.m., but add for a.m.

What is the Long. of ☽ February 14, 2004 at 2.15 p.m.?

☽'s daily motion – 14° 13′

Prop. Log. of 14° 13′	.2274
Prop. Log. of 2h. 15m.	1.0280
☽'s motion in 2h. 15m. = 1° 20′ or Log.	1.2554

☽'s Long. = 7° ♐ 18′ + 1° 20′ = 8° ♐ 38′

The Daily Motions of the Sun, Moon, Mercury, Venus and Mars will be found on pages 26 to 28.